编 委 会

项目指导

　　许琳　王路江　曲德林

内容审定专家

　　赵金铭　姜明宝

总体设计

　　负责人：马箭飞　毛悦

　　宋继华　谭春健　梁彦民　赵雪梅

课文编写

　　主　编：马箭飞

　　副主编：毛悦

　　编　者：谭春健　梁彦民　赵雪梅　刘长征　陈若君　张媛媛　王轩　王枫

练习编写

　　负责人：陈军　赵秀娟

　　梁菲　李先银　杨慧真　魏耕耘　李泓

生词翻译

　　高明乐　张旭

故事、情景

　　张作民　卢岚岚

教学实验

　　负责人：迟兰英

　　毛悦　赵秀娟　陈军　魏耕耘　杨慧真　李泓　袁金春

文字审核

　　周婉梅

测试研发

　　负责人：谢小庆

　　彭恒利　鲁新民　姜德梧　任杰　张晋军　李慧　李桂梅

技术开发、技术支持

　　负责人：宋继华　许建红

　　北京华夏大地远程教育网络服务有限公司“长城汉语”技术开发组

　　北京语言大学电教中心

中国国家汉办重点规划教材

GREAT WALL
CHINESE 长城
汉语

Essentials
in Communication 生存交际 **4**

WORKBOOK

练 习 册

北京语言大学出版社
BEIJING LANGUAGE AND CULTURE
UNIVERSITY PRESS

（京）新登字157号

图书在版编目（CIP）数据

生存交际（4）练习册/马箭飞主编. －北京：北京
语言大学出版社，2006 重印
（长城汉语）
ISBN 7-5619-1625-6

Ⅰ．生… Ⅱ．马… Ⅲ．汉语－对外汉语教学－习
题 Ⅳ.H195.4-44

中国版本图书馆 CIP 数据核字（2006）第 034782 号

书　　名：**长城汉语　生存交际练习册　四级**
责任印制：汪学发

出版发行：**北京语言大学出版社**
社　　址：北京市海淀区学院路15号　　邮政编码：100083
网　　址：www.blcup.com
电　　话：发行部 82303650/3591/3651
　　　　　 编辑部 82303647
　　　　　 读者服务部 82303653/3908
印　　刷：北京新丰印刷厂
经　　销：全国新华书店

版　　次：2006年4月第1版　　2006年10月第2次印刷
开　　本：889毫米×1194毫米　1/16　　印张：9.5
字　　数：150千字　　　　印数：3001－8000
书　　号：ISBN 7-5619-1625-6/H · 06072
　　　　　 03500

凡有印装质量问题，本社出版部负责调换，电话：82303590

GREAT WALL CHINESE

前 言

本练习册与《长城汉语》"生存交际"课本相配套。

"长城汉语"以培养学习者的汉语交际能力为主要目标,运用网络、多媒体课件、面授、课本和练习册等多元学习方式,采用即时跟踪学习进度和测试学习效果的管理模式,依托丰富的教学资源,向学习者提供个性化的学习方案,以满足海内外汉语学习者任何时间、任何地点、任何水平的学习需求。

对应《长城汉语》"生存交际"课本每个单元的语音、汉字、词语、语法点、交际要点以及任务目标,同时本着由易到难、循序渐进的原则,本练习册的每个单元设计了语音练习、词汇练习、语法练习、交际练习和汉字练习。练习的设计目标明确,形式灵活多样,突出了语言的交际性和实用性,练习的内容突出了语言的基础知识和基本技能。为充分体现练习册的辅助作用,练习中不出现生词,以使学习者能够集中精力进行《长城汉语》主体内容的学习。完成本练习册,可以帮助学习者复习和巩固所学的语言知识,掌握学习内容,达到《长城汉语》"生存交际"的学习目标。

《长城汉语》课本以"创业"、"爱情"、"传奇"、"当代"四个故事为线索,话题涉及经济、文化、体育、伦理等领域,人物有来自不同国家的留学生麦克、玛丽、金太成、山口和子、菲雅以及他们的中国朋友张圆圆、赵玉兰、王杨、李冬生等。为了便于学生理解,增强趣味性,我们在练习册中沿用了课本故事中的人物和话题,并设计了部分看图练习。

编者

Preface

This workbook is an accompaniment of the textbook of *Great Wall Chinese: Essentials in Communication*.

The goal of *Great Wall Chinese* is to develop learners' Chinese communicative competence. Different means of teaching, such as on-line and multimedia coursewares, face-to-face teaching in class, textbooks and workbooks etc. are employed, and the management mode to monitor learners' progress and to test the learning effect is also used. Individualized learning plans with the backing of rich teaching resources are provided, so as to meet the needs of Chinese learning at any time, any place, and any level in China or overseas.

The courseware of *Great Wall Chinese* comprises two parts: the text and the exercises. And the exercises are divided into three sections: Communication Skills, Words and Expressions, and Grammar. This workbook is compiled to supplement on-line learning. Corresponding to the learning subject and goals of each unit in *Great Wall Chinese: Essentials in Communication*, we designed a variety of exercises in pronunciation, words and expressions, grammar, communication skills and Chinese characters in line with the principle of systematic and progressive learning. The exercises in this book feature a clear aim and varied forms with an emphasis on communication and practicality by focusing on basic language knowledge and skills. There is no new word in the exercises so that the learner can concentrate on the learning of the principal part of *Great Wall Chinese*. Doing the exercises will help the learner review and consolidate the language knowledge learned, thus achieving the goals set for *Great Wall Chinese: Essentials in Communication*.

Four stories run through the textbooks of *Great Wall Chinese*, which are Starting a Business, Love, a Legend, and the Contemporary Era. The topics cover economy, culture, sports, ethics, etc., by telling stories about several foreign students, Mike, Mary, Kim Tae-sung, Yamaguchi Kazuko, Faye, who came to China from different countries, and their Chinese friends, Zhang Yuanyuan, Zhao Yulan, Wang Yang, Li Dongsheng, etc. In order to facilitate the learners' understanding and make the learning more interesting, this workbook follows the topics and characters in the stories of the textbook, and some picture-based exercises are added.

Compilers

目录

【 CONTENTS 】

CONTENTS

Unit One

第一单元

现在　　开始　　上　　课
Xiànzài kāishǐ shàng kè

Now let's begin our class

Key Points

Subject	Classroom Activities
Goals	Learn to understand classroom language and talk about one's studies and exams in simple terms.
Grammar Points	• Complement of result • Negation of Complement of result • "Quantity + 以上"

Focal Sentences	Major points in communication	Examples
	Announcing to start doing something	现在开始上课。
	Asking if someone is ready (to do something)	你准备好了吗？
	Stating something has (not) been done	作业都做完了。
	Talking about the result of the exam	上午的考试没考好。 你的成绩不错。 我只能得八十多分。

Words and Phrases	作业 课文 预习 们 不过 生词 记住 打开 翻 读 说话 安静 考试 准备 但是 考 以上 努力 辅导 水平 答 道 题 得 分 及格 复习 好 没想到 还是 看样子 只有 HSK
Chinese Characters	业 文 翻 读 安 静 考 准 备 努 力 辅 导 答 及 复
Phonetics	Review of syllables

Exercises

 Ⅰ.Pronunciation

Read the following words aloud, and pay attention to their pronunciations and tones.

bǎobèi	bēibāo	biǎobái	bēnpǎo
pīpíng	pīngpāng	piānpáng	bìngpái
dàodá	děngdài	dàdǎn	dìtú
tiāntáng	téngtòng	tóuténg	dútè

 Ⅱ.Words and Expressions

1 Pick out the word that does not belong to the group.

① 作业   生词   课文   只有   (   )
   zuòyè   shēngcí   kèwén   zhǐyǒu

② 复习   预习   考试   说话   (   )
   fùxí   yùxí   kǎoshì   shuōhuà

③ 不过   可是   但是   努力   (   )
   búguò   kěshì   dànshì   nǔlì

④ 答   题   分   翻   (   )
   dá   tí   fēn   fān

⑤　读　　　记　　　考　　　好　　　　　（　　　　　　）
　　dú　　　 jì　　　kǎo　　 hǎo

2　Choose the right word to fill in the blank (1).

安静	准备	辅导	及格	还是
ānjìng	zhǔnbèi	fǔdǎo	jígé	háishi

①　我　今天　没有　时间，我们＿＿＿＿＿＿＿＿明天　去　吧。
　　Wǒ jīntiān méiyǒu shíjiān, wǒmen　　　　　　　 míngtiān qù ba.

②　图书馆　　里　很＿＿＿＿＿＿＿＿。
　　Túshūguǎn　li　hěn

③　下　星期　我　要　参加　HSK　考试，
　　Xià xīngqī wǒ yào cānjiā HSK kǎoshì,

　　您　给　我＿＿＿＿＿＿＿＿一下儿　吧。
　　nín gěi wǒ　　　　　　　yíxiàr ba.

④　明天　我们　去　郊游，你＿＿＿＿＿＿＿好　了　吗？
　　Míngtiān wǒmen qù jiāoyóu, nǐ　　　　　hǎo le ma?

⑤　这　次考试　他　不＿＿＿＿＿＿＿。
　　Zhè cì kǎoshì tā bù

Choose the right word to fill in the blank (2).

只有	不过	以上	水平	努力
zhǐyǒu	búguò	yǐshàng	shuǐpíng	nǔlì

① 这个 菜 很 漂亮，_____不 好吃。
　 Zhège cài hěn piàoliang,　　　　　bù hǎochī.

② 我们 班_____玛丽 是 英国 人。
　 Wǒmen bān　　　　　Mǎlì shì Yīngguó rén.

③ 赵 汉 学习 很_____，考试 得了 98 分。
　 Zhào Hàn xuéxí hěn　　　　　kǎoshì déle jiǔshíbā fēn.

④ 现在 我 的 汉语_____还 不 太 高。
　 Xiànzài wǒ de Hànyǔ　　　　　hái bú tài gāo.

⑤ 我们 需要 一 个 身高 在 1 米 7_____的 人。
　 Wǒmen xūyào yí ge shēngāo zài yì mǐ qī　　　　　de rén.

郊游
= outing (to the suburbs
for fun..-)

III. Grammar

Structure (1-3)
is opposite

Grammar Points

...好
= totality
of action

Have you bought
the ① things you
need ② for the ③
outing

● Complement of result

Subject+Verb+Complement of result +(Object)+ 了

你　买好　郊游　需要　的　东西　了　吗?
Nǐ　mǎihǎo　jiāoyóu　xūyào,　de　dōngxi,　le ma?

general sequence need *fun*
③ ② ①

我　看错　人　了。
Wǒ　kàncuò　rén　le.

cuo = wrong =>

● Negation of Complement of result

Subject+ 没 +Verb+Complement of result+(Object)

remember
我　没　记住　他　的　电话。
Wǒ　méi　jìzhù　tā　de　diànhuà.

finish
昨天　我　没　做完　作业。
Zuótiān wǒ　méi　zuòwán　zuòyè.

● "Quantity + 以上"
yi shang

people over the age of 50
我们　公司　现在　没有　50　岁　以上　的　人。
Wǒmen gōngsī xiànzài méiyǒu　wǔshí　suì　yǐshàng de rén.

must
这　次　我　一定　要　考　7　级　以上。
Zhè cì　wǒ yídìng　yào kǎo qī jí yǐshàng.

1 Transform the following sentences into their negative forms.

① 我　记住　这些　生词　~~了~~。
Wǒ jìzhù zhèxiē shēngcí ~~le~~.

"没" _____

② 妈妈　已经　准备好　晚饭　~~了~~。
(certainly) _(prepare)_
Māma yǐjīng zhǔnbèihǎo wǎnfàn ~~le~~.

"还不没" _____

③ 我　写错~~了~~　你　的　名字。
(mis-write (not write correctly))
Wǒ xiěcuò~~le~~ nǐ de míngzi.

"没" _____

④ 这　本　书　我们　学完　~~了~~。
(finished completed)
Zhè běn shū wǒmen xuéwán ~~le~~.

还没 _____

⑤ 他　已经　做完　今天　的　作业　~~了~~。
Tā yǐjīng zuòwán jīntiān de zuòyè ~~le~~.

"还没 _____

2 Choose the right word to fill in the blank.

完　　好　　错　　住　　清楚
wán　hǎo　cuò　zhù　qīngchu
　　　　　　　　　　　　₂ clearly

① 这 本 书 你 什么 时候 能 看 _完_____?
　 Zhè běn shū nǐ shénme shíhou néng kàn

② 请 再 说 一 遍, 我 没 听 _清楚_____。
　 Qǐng zài shuō yí biàn, wǒ méi tīng

③ 这些 生词 你 都 记 _住_____ 了 吗?
　 Zhèxiē shēngcí nǐ dōu jì 　　　　　　　　　 le ma?

④ 明天 有 考试, 你 准备 _好_____ 了 吗?
　 Míngtiān yǒu kǎoshì, nǐ zhǔnbèi 　　　　　　　 le ma?

⑤ 你 记 _错_____ 了, 我 不 姓 王, 我 姓 杨。
　 Nǐ jì 　　　　　　　　 le, wǒ bú xìng Wáng, wǒ xìng Yáng.

You have forgotten　　　my surname not 王, 也 为 杨

3 Put the given word at the right place.

① 这里 夏天 A 的 气温 每天 B 都 在 C 35 度 Ⓓ。
Zhèli xiàtiān de qìwēn měitiān dōu zài sānshíwǔ dù.

summer

（以上）
yǐshàng

② 10 岁 Ⓐ 的 B 人 都 可以 C 吃 D 这 种 药。 （以上）
Shí suì de rén dōu kěyǐ chī zhè zhǒng yào. yǐshàng

③ 别 A 着急，我 没 还 Ⓒ 吃 D 完 饭 呢。 （没）
Bié zháojí, wǒ hái chī wán fàn ne. méi

④ 做 Ⓐ 作业 B 以后 C 我 就 去 游泳 D。 （完）
Zuò zuòyè yǐhòu wǒ jiù qù yóuyǒng. wán

⑤ 对 不 起 A，我 B 看 Ⓒ 人 了 D。 （错）
Duì bu qǐ, wǒ kàn rén le. cuò

IV. Communication Skills

1 Match the correct reponse to its question or statement.

① 明天 的 考试 你
Míngtiān de kǎoshì nǐ

准备好 了 吗?
zhǔnbèihǎo le ma?

A. 没 关系。
Méi guānxì.

② 这 次 考试 你 得了
Zhè cì kǎoshì nǐ déle

多少 分?
duōshao fēn?

B. 别 再 想 了,
Bié zài xiǎng le,

以后 再 努力 吧。
yǐhòu zài nǔlì ba.

③ 对不起, 我 记错 了
Duì bu qǐ, wǒ jìcuò le

你 的 名字。
nǐ de míngzi.

C. 我 得了
Wǒ déle

85 分。
bāshíwǔ fēn.

④ 昨天 的 考试
Zuótiān de kǎoshì

我 没 考好。
wǒ méi kǎohǎo.

D. 我 还 没 看完
Wǒ hái méi kànwán

呢, 明天 给 你 吧。
ne, míngtiān gěi nǐ ba.

⑤ 那 本 小说 今天
Nà běn xiǎoshuō jīntiān

能 给 我 吗?
néng gěi wǒ ma?

E. 已经 准备
Yǐjīng zhǔnbèi

好 了。
hǎo le.

2 Rearrange the following five sentences to form a coherent passage .

① 所以 我 想 找 一个老师 给 我 辅导 辅导。
Suǒyǐ wǒ xiǎng zhǎo yí ge lǎoshī gěi wǒ fǔdǎo fǔdǎo.

② 妈妈 要求 我 考 八 级。
Māma yāoqiú wǒ kǎo bā jí.

③ 我 现在 在 北京 学习 汉语。
Wǒ xiànzài zài Běijīng xuéxí Hànyǔ.

④ 我 想 一 个 星期 辅导 三 次，一 次 两 个 小时。
Wǒ xiǎng yí ge xīngqī fǔdǎo sān cì, yí cì liǎng ge xiǎoshí.

⑤ 下 个 月 我 要 参加 HSK 考试。
Xià ge yuè wǒ yào cānjiā HSK kǎoshì.

The correct order is 3, 5, 2, 4 .

V. Chinese Characters

Basic Knowledge

冫 The radical 冫 [liǎng diǎn shuǐ (páng)], appears on the left side of a character with a left-right structure. For example, 次(cì), 冰(bīng), 准(zhǔn), etc.

1 Write down the Chinese characters with the following radicals and form words with them. Pay attention to the difference between the two radicals.

① 冫 ( ) _____

( ) _____

( ) _____

② 氵 ( ) _____

( ) _____

( ) _____

( ) _____

( ) _____

2 Practise writing the characters.

丨 丨丨 丨丬 丬业 业

| 业 | 业 | 业 | | | | | | | | | | |

丶 一 广 文

| 文 | 文 | 文 | | | | | | | | | | |

| 读 | 读 | 读 | | | | | | | | | |

丶 丷 宀 宀 安 安

| 安 | 安 | 安 | | | | | | | | | | |

| 静 | 静 | 静 | | | | | | | | | |

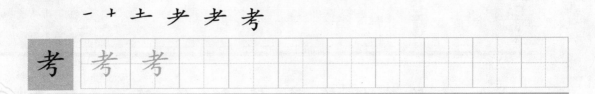

| 考 | 考 | 考 | | | | | | | | | | |

准　丶　冫　汀　汁　汴　冹　准　准　准

准	准	准									

备　丿　夕　冬　各　备　备

备	备	备									

努　乁　夕　女　奴　奴　努　努

努	努	努									

力　フ　力

力	力	力									

辅　一　亡　车　车　车　轩　轩　轫　辅　辅

辅	辅	辅									

导　乛　巳　旦　异　导

导	导	导									

答　丿　仁　午　竺　竺　竺　竺　答　答　答

答	答	答									

丿 乃 及

及	及	及										

丶 宀 亇 乍 白 白 自 复 复

复	复	复											

Unit Two

第二单元

你 在 大学 学习 什么 专业
Nǐ zài dàxué xuéxí shénme zhuānyè

What's your major in the university

Key Points

Subject	Talking about one's study experiences	
Goals	Learn to tell one's study experiences, specialty and skills	
Grammar Points	• The modal verb "会" • The separable verb "帮忙" • "Duration+（verb）+time(s)"	
Focal Sentences	**Major points in communication**	**Examples**
	Asking and telling which year someone is in	他上几年级了？ 高中三年级。
	Asking and telling about one's skill	你会做饭吗？ 我会做饭。
	Indicating that something is not worth mentioning	这有什么？
	Passable comment	马马虎虎。
	Asking and telling about one's specialty	你学什么专业？ 我学计算机。
Words and Phrases	专业 回家 小学 初中 高中 上 年级 紧张 听说 重点大学 忙 小时候 练 弹 吉他 就 马马虎虎 计算机 帮忙 电脑 出毛病 看 MBA	
Chinese Characters	回 初 紧 弹 吉 虎 病	
Phonetics	Review of syllables	

Exercises

 Ⅰ.Pronunciation

Read the following words aloud, and pay attention to their pronunciations and tones.

guǎnggào	gōnggòng	gǎigé	guānkàn
kěkào	kèkǔ	kěkǒu	gùkè
fúhào	fùhuó	fènghuáng	fēnghuà
huīfù	héfǎ	huàfēn	huífù

 Ⅱ.Words and Expressions

1 Match the words in the two columns to form verb-object phrases.

打 dǎ	高中 gāozhōng
回 huí	吉他 jítā
上 shàng	毛病 máobìng
出 chū	网球 wǎngqiú
弹 tán	家 jiā

2 Choose the right word to fill in the blank (1).

听说　　紧张　　帮忙　　练　忙
tīngshuō jǐnzhāng bāngmáng liàn máng

① 你 好久 没给我 打 电话 了, ＿＿＿＿＿＿＿什么 呢?
Nǐ hǎojiǔ méi gěi wǒ dǎ diànhuà le, shénme ne?

② 我 小时候＿＿＿＿＿＿＿过 足球。
Wǒ xiǎoshíhou guo zúqiú.

③ 时间 很＿＿＿＿＿＿＿, 我们 还是 坐 出租车 去 吧。
Shíjiān hěn wǒmen háishi zuò chūzūchē qù ba.

④ 我＿＿＿＿＿＿＿在 你们 公司 工作 压力 很 大,
Wǒ zài nǐmen gōngsī gōngzuò yālì hěn dà,

是 吗?
shì ma?

⑤ 我 发烧 了, 请 你＿＿＿＿＿＿＿告诉 经理, 我 下午
Wǒ fāshāo le, qǐng nǐ gàosu jīnglǐ, wǒ xiàwǔ

再 去 上班。
zài qù shàngbān.

Choose the right word to fill in the blank (2).

年级	专业	毛病	小时候	马马虎虎
niánjí	zhuānyè	máobìng	xiǎoshíhou	mǎmǎhūhū

① 我 的 计算机 出＿＿＿＿＿＿＿＿＿了，现在 不 能
   Wǒ de jìsuànjī chū ＿＿＿＿＿＿＿ le, xiànzài bù néng

   上网。
   shàngwǎng.

② 我 现在 的 汉语 水平＿＿＿＿＿＿＿。
   Wǒ xiànzài de Hànyǔ shuǐpíng ＿＿＿＿＿＿.

③ 在 大学 你 学 的 是 什么＿＿＿＿＿＿＿？
   Zài dàxué nǐ xué de shì shénme ＿＿＿＿＿?

④ 他＿＿＿＿＿＿＿学习 成绩 很 好。
   Tā ＿＿＿＿＿＿ xuéxí chéngjì hěn hǎo.

⑤ 张 先生 的 儿子 现在 是 小学 五＿＿＿＿＿的
   Zhāng xiānsheng de érzi xiànzài shì xiǎoxué wǔ ＿＿＿ de

   学生。
   xuésheng.

III. Grammar

Grammar Points

never use 没会 +

- The modal verb "会": = "ability to do sth."

Noun(Pronoun)+(不)会 +Verb+(Noun)

菲雅　会　唱　中国　歌。
Fēiyǎ　huì　chàng　Zhōngguó gē.

我　不会　打　网球。
Wǒ　bú huì　dǎ　wǎngqiú.

- The separable word "帮忙":

Noun(Pronoun)……+ 帮 + Noun(Pronoun)+ 个（的）＋忙

请　你　帮　我　个　忙，好　吗?
Qǐng nǐ　bāng wǒ　ge　máng,hǎo ma?

Can you give me a hand? (just for a small bit of help)

我　很　想　帮　你　的　忙。
Wǒ hěn xiǎng bāng nǐ de máng.

- "Duration+(Verb)+time(s)":

Noun(Pronoun)+Duration+(Verb)+……次 +(Noun)

玛丽　一个　星期　去　学　一　次　京剧。
Mǎlì　yí ge xīngqī qù xué　yí cì jīngjù.

他　一个　月　回　一　次　家。
Tā　yí ge yuè huí　yí cì jiā.

1　Write five sentences according to the schedule, using the "Duration+(Verb)
+time(s)" construction.

Kim Tae-sung's schedule for the week:

	星期一 xīngqīyī	星期二 xīngqī'èr	星期三 xīngqīsān	星期四 xīngqīsì	星期五 xīngqīwǔ
上午 shàngwǔ	上课 shàngkè	上课 shàngkè	上课 shàngkè	上课 shàngkè	去 公司 qù gōngsī
下午 xiàwǔ	去 公司 qù gōngsī	辅导 fǔdǎo	去 公司 qù gōngsī	辅导 fǔdǎo	上网 shàngwǎng
晚上 wǎnshang	加班 jiābān	健身 jiànshēn	上网 shàngwǎng	加班 jiābān	健身 jiànshēn

①　一个星期上网次　　　　　　　　　。

②　　　　　　　　　　　　　　　　。

③　一个星期辅导几次　　　　　　　。

④　　　　　　　　　　　　　　　　。

⑤　　　　　　　　　　　　　　　　。

2 Transform the following affirmative sentences into their negative forms.

① 圆圆   会 弹 吉他。
　　Yuányuan huì tán jítā.

_____

② 我   会 唱   京剧。
　　Wǒ huì chàng jīngjù.

_____

③ 她 会 做 中国   菜。
　　Tā huì zuò Zhōngguó cài.

_____

③ 他 会 打 网球。
　　Tā huì dǎ wǎngqiú.

_____

⑤ 王   杨   会 说 韩国 语。
　　Wáng Yáng huì shuō Hánguó yǔ.

_____

3 Complete the dialogues with " 帮忙 ".

① A: _____?

   B: 帮　什么　忙?
      Bāng　shénme　máng?

② A: _____?

   B: 没　问题。
      Méi　wèntí.

③ A: _____?

   B: 好。我　一定　转告。
      Hǎo. Wǒ　yídìng　zhuǎngào.

④ A: _____.

   B: 不　客气。
      Bú　kèqi.

⑤ A: _____。

   B: 别　客气。我们　是　朋友　嘛。
      Bié　kèqi. Wǒmen　shì　péngyou　ma.

IV. Communication Skills

1 Complete the dialogues.

① A: 你在大学几年级吗？

   B: 大学　二　年级。
   　　Dàxué　èr　niánjí.

② A: 你会画画儿吗？

   B: 我　不会。
   　　Wǒ　bú huì.

③ A: 你会说汉语吗？
   　你会说汉语很？

   B: 这　有　什么。
   　　Zhè　yǒu　shénme.

④ A: 你学习一定很好吧？

   B: 马马虎虎。
   　　Mǎmǎhūhū.

⑤ A: 你在大学学什么专业？
   　　　　　　学 subjects

   B: 我　学　MBA。
   　　Wǒ　xué　MBA.

2 Complete the dialogue.

A: <u>你会不会 说会汉语</u>?

B: 会 说。 我 现在 的 专业 是 汉语。
Huì shuō. Wǒ xiànzài de zhuānyè shì Hànyǔ.

A: 你 上 几 年级 了?
Nǐ shàng jǐ niánjí le?

B: <u>我 上 八 年级</u>。
的

A: 你 的 汉 语说 得 好 吗?

B: 马马虎虎。
Mǎmǎhūhū.

A: <s>对不起</s>. 我 想 找 你 给 我辅 辅导 车甫导?

B: 没 问题。 不过 我 的 汉语 水平 也 不 高。
Méi wèntí. Búguò wǒ de Hànyǔ shuǐpíng yě bù gāo.

A: 一 个 星期 辅导 两 次, 可以 吗?
Yí ge xīngqī fǔdǎo liǎng cì, kěyǐ ma?

B: <u>可以</u>。

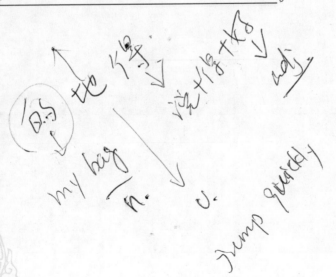

V. Chinese Characters

Basic Knowledge

弓 The radical 弓 (gōng zì páng), originally developed from the image of a bow. The original meanings of the characters with 弓 as their radical are generally related to the bow. For example, 引 (yǐn), 张(zhāng), 弹(tán), etc.

1 Write down the Chinese characters with the following radicals and form words with them.

① 弓　(　　　　)＿＿＿＿＿＿＿＿

　　　(　　　　)＿＿＿＿＿＿＿＿

② 衤　(　　　　)＿＿＿＿＿＿＿＿

　　　(　　　　)＿＿＿＿＿＿＿＿

　　　(　　　　)＿＿＿＿＿＿＿＿

2 Practise writing the characters.

丶 ラ 才 オ 齐 初 初

| 初 | 初 | 初 | | | | | | | | | | | |

丶 丨 丨丨 収 収 竖 竖 竖 紧 紧

| 紧 | 紧 | 紧 | | | | | | | | | |

丶 乛 弓 弓 弓' 弘' 弹 弹 弹 弹 弹

| 弹 | 弹 | 弹 | | | | | | | | |

一 十 士 吉 吉 吉

| 吉 | 吉 | 吉 | | | | | | | | | | |

丶 丨 ⺌ 广 卢 虍 虎 虎

| 虎 | 虎 | 虎 | | | | | | | | | |

丶 亠 广 广 疒 疒 疒 病 病 病

| 病 | 病 | 病 | | | | | | | | |

Unit Three

第三单元

你 习惯 中国 校园 生活 吗
Nǐ xíguàn Zhōngguó xiàoyuán shēnghuó ma

Are you used to the campus life in China

Key Points

Subject	Campus life
Goals	Learn to talk about campus life and activities in simple terms
Grammar Points	• Complement of result：记住，借走，找到 • Complement of possibility：V 得 C ／V 不 C

	Major points in communication	Examples
Focal Sentences	Asking about the time something must be returned	（这本书）什么时候还？
	Expressing dissatisfaction	我对李老师有一点儿意见。
	Expressing the idea that something suddenly occurs to someone	对了，讲座时间和地点你记住了吗？
	Expressing the idea of giving up	算了，我借本小说吧！

Words and Phrases	讲座 关于 经济 懂 翻译 放心 方面 借 艺术 算了 算 小说 还 有的 早 起来 食堂 印象 意见 热情
Chinese Characters	讲 座 济 懂 译 放 借 艺 术 食
Phonetics	Review of syllables

Exercises

 Ⅰ.Pronunciation

Read the following words aloud, and pay attention to their pronunciations
and tones.

zhànzhēng	zhǎnchū	zhèngshì	zhāoshǒu
shènzhì	shēngzhǎng	shìchǎng	shìshí
cáichǎn	cāochǎng	chācuò	chēcì
xiǎoshuō	xīnshǎng	xiǎnshì	xiǎngshòu

 Ⅱ.Words and Expressions

1 Fill in the blanks to form phrases.

_____ 方面   _____ 艺术 借 _____
           fāngmiàn   yìshù jiè

_____ 方面   _____ 艺术 借 _____
           fāngmiàn   yìshù jiè

_____ 方面   _____ 艺术 借 _____
           fāngmiàn   yìshù jiè

2 Choose the right word to fill in the blank (1).

印象　　食堂　讲座　　意见　　小说
yìnxiàng　shítáng　jiǎngzuò　yìjiàn　xiǎoshuō

① 我　在　图书馆　借了两　本＿＿＿＿＿＿＿，你看　吗?
Wǒ zài túshūguǎn jièle liǎng běn　　　　　　　　　nǐ kàn ma?

② ＿＿＿＿＿＿＿里的菜　很　好吃。
　　　　　　　li de cài hěn hǎochī.

③ 很　多　人　对这儿的服务　有＿＿＿＿＿＿＿。
Hěn duō rén duì zhèr de fúwù yǒu

④ 我　对北京　的＿＿＿＿＿＿＿很　好。
Wǒ duì Běijīng de　　　　　　　hěn hǎo.

⑤ 今天　下午　两点　学校　有一　个　有关
Jīntiān xiàwǔ liǎng diǎn xuéxiào yǒu yí ge yǒuguān

京剧　的＿＿＿＿＿＿＿。
jīngjù de

Choose the right word to fill in the blank (2).

还	懂	放心	热情	有的
hái	dǒng	fàngxīn	rèqíng	yǒude

① _____吧。我 一定 转告 王 老师。
　　　　　　　　　　ba. Wǒ yídìng zhuǎngào Wáng lǎoshī.

② 那儿 的 服务员 对 我们 很_____。
　Nàr de fúwùyuán duì wǒmen hěn

③ 这 本 书 你 想 什么 时候_____?
　Zhè běn shū nǐ xiǎng shénme shíhou

④ 我们 班_____同学 以前 来过 北京。
　Wǒmen bān　　　　　　　　　tóngxué yǐqián láiguo Běijīng.

⑤ 这 本 小说 你 看 得_____吗?
　Zhè běn xiǎoshuō nǐ kàn de　　　　　ma?

III. Grammar

Grammar Points

● Complement of result

Noun(Pronoun)+Verb+ 住／走／到 +Noun(了)

我　记住　刘老师　的　电话　号码　了。
Wǒ　jìzhù　Liú lǎoshī　de diànhuà　hàomǎ　le.

我　找到　那　本　书　了。
Wǒ　zhǎodào　nà　běn　shū　le.

● Complement of possibility

Noun(Pronoun)+Verb+ 得／不 +Verb+(Noun)

你　听　得　见　吗?
Nǐ　tīng　de　jiàn　ma?

我　看　不　懂　这　本　书。
Wǒ　kàn　bu　dǒng　zhè běn shū.

1 Choose the right word to fill in the blank.

① 今天　学　的　生词　我　都　记_____*B*_____了。
Jīntiān　xué de shēngcí wǒ dōu jì　　　　　le.

A 走　　　　B 住
zǒu　　　　　zhù

② 我　回家　的　时候，妈妈　已经　做_____*B*_____了饭。
Wǒ huíjiā de shíhou, māma yǐjīng zuò　　　　le fàn.

A 好　　　　B 到
hǎo　　　　　dào

③ 老师　介绍　的那本书　你借_____了吗?
Lǎoshī jièshào de nà běn shū, nǐ jiè　　　　le ma?

A 住　　　　B 到
zhù　　　　　dào

④ 玛丽　借_____*A*_____了我的　词典。
Mǎlì jiè　　　　le wǒ de cídiǎn.

A 走　　　　B 好
zǒu　　　　　hǎo

⑤ 我写_____*A*_____作业　就去游泳。
Wǒ xiě　　　　zuòyè jiù qù yóuyǒng.

A 完　　　　B 到
wán　　　　　dào

2 Rewrite the following sentences with the "V得C" phrase.

① 这 本 书 我 能 看懂。
Zhè běn shū wǒ néng kàndǒng.

看得懂。

② 你 说 的 话 我 都 能 听懂。
Nǐ shuō de huà wǒ dōu néng tīngdǒng.

得

③ 三 个 月 你们 能 学完 这 本 书 吗?
Sān ge yuè nǐmen néng xuéwán zhè běn shū ma?

得

④ 我们 在 客厅里 说话 你 能 听见 吗?
Wǒmen zài kètīng li shuōhuà nǐ néng tīngjiàn ma?

得

⑤ 这么 多 生词 你 能 记住 吗?
Zhème duō shēngcí nǐ néng jìzhù ma?

3 Transform the following sentences into their negative forms.

① 今天　的　讲座　我　听懂　了。
　Jīntiān　de　jiǎngzuò　wǒ　tīngdǒng　le.

_____

② 你　说　的　那　家　茶馆　我　找到　了。
　Nǐ shuō　de　nà jiā cháguǎn　wǒ　zhǎodào　le.

_____

③ 我　记住　他　的　地址　了。
　Wǒ jìzhù　tā　de　dìzhǐ　le.

_____

④ 3　点　以前　我　写　得　完　今天　的　作业。
　Sān diǎn　yǐqián wǒ xiě　de　wán jīntiān　de　zuòyè.

_____

⑤ 在　书店　买　得　到　这　本　书。
　Zài shūdiàn mǎi　de　dào　zhè běn shū.

_____

IV. Communication Skills

Complete the following dialogues.

① A: _____ 吧。
ba.

B: 什么　　电影?
Shénme　diànyǐng?

A: _____ 。

B: 可是　我　听　不　懂　啊!
Kěshì　wǒ　tīng　bu　dǒng　a!

A: _____ 。

B: 你　给　我　翻译?　你……行　吗?
Nǐ　gěi　wǒ　fānyì?　Nǐ……xíng　ma?

A: _____ 。

② A: 你们　每　天　几　点　上课?
Nǐmen　měi　tiān　jǐ　diǎn　shàngkè?

B: _____ 。

A: _____ ?

B: 我　已经　习惯　了。
Wǒ　yǐjīng　xíguàn　le.

A: _____ ?

B: 学校　的　条件　很　好　啊!
Xuéxiào　de　tiáojiàn　hěn　hǎo　a!

A: 你　对　学校　没有　意见　吗?
Nǐ　duì　xuéxiào　méiyǒu　yìjiàn　ma?

B: _____ 。

Ⅴ. Chinese Characters

Basic Knowledge

广　The radical 广 (guǎng zì tóu). Examples: 床(chuáng), 店(diàn), 座(zuò), 度(dù), etc.

1 Write down the Chinese characters with the following radicals and form words with them. Pay attention to the difference between these radicals.

① 厂　(　　　　)＿＿＿＿＿＿

　　　(　　　　)＿＿＿＿＿＿

② 广　(　　　　)＿＿＿＿＿＿

　　　(　　　　)＿＿＿＿＿＿

③ 疒　(　　　　)＿＿＿＿＿＿

　　　(　　　　)＿＿＿＿＿＿

2 Practise writing the characters.

丶 讠 讠 讲 讲 讲

| 讲 | 讲 | 讲 | | | | | | | | | |

丶 亠 广 广 庐 庐 应 座 座

| 座 | 座 | 座 | | | | | | | | |

丶 冫 冫 冫 浐 沪 汶 济 济

| 济 | 济 | 济 | | | | | | | | |

丶 丶 忄 忄 忄 忄 忄 忄 惜 惜 惜 懂 懂 懂

| 懂 | 懂 | 懂 | | | | | | |

丶 讠 讠 讠 译 译 译 译

| 译 | 译 | 译 | | | | | | | | |

丶 亠 亍 方 方 放 放 放

| 放 | 放 | 放 | | | | | | | | |

ノ イ 仁 仕 借 借 借 借 借 借

| 借 | 借 | 借 | | | | | | | | | | | | |

一 艹 艺 艺

| 艺 | 艺 | 艺 | | | | | | | | | | | | |

一 十 才 木 术

| 术 | 术 | 术 | | | | | | | | | | | | |

ノ 人 人 今 今 今 食 食 食

| 食 | 食 | 食 | | | | | | | | | | | | |

Unit Four

第四单元

你 以后 想 做 什么 工作
Nǐ yǐhòu xiǎng zuò shénme gōngzuò

What do you want to do in the future

Key Points

Subject	Talking about work
Goals	Learn to talk about one's occupation and work in simple terms.
Grammar Points	• "不 +Verb phrase+ 了" • The preposition "对"（对……感兴趣／有意见／很热情）

Focal Sentences	Major points in communication	Examples
	Asking if one has changed one's mind	你不想当画家了？
	Stating one's ideal	我的理想就是当个好记者。
	Asking and telling about the occupation one hopes to take up	你以后想做什么工作？ 我想当一名京剧演员。
	Introducing some uncertain news	听说，在日本职员总是加班。

Words and Phrases	演员　感兴趣　感　兴趣　理想　总是　所以　压力　收入 安排　调查　俩　报告　急
Chinese Characters	趣　压　入　排　调　俩
Phonetics	Review of syllables

Exercises

 # Ⅰ.Pronunciation

Read the following words aloud, and pay attention to their pronunciations and tones.

zázhì	zuòzhě	zhèngzài	zhìzào
jìzhě	jiàzhí	jiǎnzhí	jiànzhù
qìchē	qīngchè	qīngchu	qīngchūn
suìshù	sùshè	shísì	shēngsǐ

 # Ⅱ. Words and Expressions

1 Choose the right word to fill in the blank.

(sort documents in order)

① *to arrange* 安排   *to sort out (clean room)* 整理
    ānpái   zhěnglǐ

你 先＿＿＿＿＿＿＿＿一下儿 今天 的 会，再 把
Nǐ xiān   yíxiàr   jīntiān de huì， zài bǎ

这些 资料＿＿＿＿＿＿＿一下儿。
zhèxiē zīliào   yíxiàr.

② *investigate* 调查   查
   diàochá   chá

你 先 ___查___ 一下儿 这个 公司 的 地址, 然后 去
Nǐ xiān   yíxiàr zhège gōngsī de dìzhǐ, ránhòu qù

___调查___ 一下儿 这个 公司 的 产品 卖 得 怎么样。
        yíxiàr zhège gōngsī de chǎnpǐn mài de zěnmeyàng.

③ 总是   但是
zǒngshì   dànshì

金 太成 ___总是___ 很 忙, ___但是___ 他 很 少
Jīn Tàichéng   hěn máng,   tā hěn shǎo

不 来 上课。
bù lái shàngkè.

④ 急   忙
jí   máng

每 天 都 这么 ___忙___, 压力 这么 大, 我 能
Měi tiān dōu zhème   yālì zhème dà, wǒ néng

不 ___急___ 吗?
bù   ma?

---

2 Choose the right word to fill in the blank (1) .

| 理想 | 调查 | 安排 | 兴趣 | 收入 |
| lǐxiǎng | diàochá | ānpái | xìngqù | shōurù |

① 在 这儿 工作, 忙 是 忙,
Zài zhèr gōngzuò, máng shì máng,

但是 _____ 还 不错。
dànshì   hái búcuò.

② 她 的＿＿＿＿＿＿＿是 当 大 学 老师。
　　Tā de　　　　　　　　shì dāng dàxué lǎoshī.

③ 他 对 中国 的文化 特别 有＿＿＿＿＿＿＿。
　　Tā duì Zhōngguó de wénhuà tèbié yǒu

④ 我 觉得 这 家 公司 有 问题, 你 去
　　Wǒ juéde zhè jiā gōngsī yǒu wèntí, nǐ qù

　　＿＿＿＿＿＿＿一下儿。
　　　　　　　yíxiàr.

⑤ 金 经理, 您 看 今天 上午 的 会 这样＿＿＿＿＿
　　Jīn jīnglǐ, nín kàn jīntiān shàngwǔ de huì zhèyàng

　　可以 吗?
　　kěyǐ ma?

Choose the right word to fill in the blank (2).

报告	总是	所以	压力	急
bàogào	zǒngshì	suǒyǐ	yālì	jí

① 最近 我们＿＿＿＿＿＿＿加班, 累死 了。
　　Zuìjìn wǒmen　　　　　　jiābān, lèisǐ le.

② 你 的＿＿＿＿＿＿＿写完 了 吗? 经理 等着 要 呢。
　　Nǐ de　　　　　　xiěwán le ma? Jīnglǐ děngzhe yào ne.

③ 菲雅 是 个 记者，_____她 经常 到
Fēiyǎ shì ge jìzhě, tā jīngcháng dào

外面 去 采访。
wàimian qù cǎifǎng.

④ 我 家里 有_____事，我 得 先 走 了。
Wǒ jiāli yǒu shì, wǒ děi xiān zǒu le.

⑤ 现在 的 工作_____太 大 了，我 想
Xiànzài de gōngzuò tài dà le, wǒ xiǎng

换 个 工作。
huàn ge gōngzuò.

III. Grammar

Grammar Points

● "不 +Verb phrase+ 了"

*used to think ~~~
Now 不~~~ anymore*

Noun(Pronoun)+ 不 + Verb phrase+ 了

她 不 想 当 演员 了。 *= anymore*
Tā bù xiǎng dāng yǎnyuán le.

我 不 想 去 商店 了。
Wǒ bù xiǎng qù shāngdiàn le.

● The Preposition "对" (对……感兴趣／有意见／很热情)

Noun(Pronoun)+ 对 + Noun(Verb phrase)
+(不) 感兴趣／有意见／很热情

| 玛丽 | 对 | 画画儿 | | 感 | 兴趣。 |
| Mǎlì | duì | huàhuàr | | gǎn | xìngqù. |

| 我 | 对 | 京剧 | 不 | 感 | 兴趣。 |
| Wǒ | duì | jīngjù | bù | gǎn | xìngqù. |

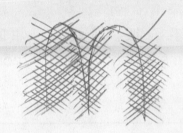

1 Rewrite the following sentences with the "对……（不）感兴趣" construction.

① 菲雅 很 喜欢 看 电影。
Fēiyǎ hěn xǐhuan kàn diànyǐng.

_____

② 王 杨 很 喜欢 上网。
Wáng Yáng hěn xǐhuan shàngwǎng.

_____

③ 我们 很 喜欢 中国 菜。
Wǒmen hěn xǐhuan Zhōngguó cài.

_____

④ 我 不 喜欢 *window shopping.* 逛街。
Wǒ bù xǐhuan guàngjiē.

_____

⑤ 山口 不 喜欢 看 足球赛。
Shānkǒu bù xǐhuan kàn zúqiúsài.

_____

2 Complete the following dialogues with the "不 +Verb phrase+ 了" construction.

① A: 你 还 想 当 记者 吗?
　　Nǐ hái xiǎng dāng jìzhě ma?

B: <u>我 不 想 当 记者 了</u>。

② A: 7 点 半 了, 我们 去 上课 吧!
　　Qī diǎn bàn le, wǒmen qù shàngkè ba!

B: <u>我们现在不想去上课</u>。

③ A: 走 吧, 我们 该 去 跑步 了。
　　Zǒu ba, wǒmen gāi qù pǎobù le.

B: <u>我 不 想 跑步 了</u>。

④ A: 你 不 是 很 喜欢 吃辣 的 吗?
　　Nǐ bú shì hěn xǐhuan chī là de ma?

B: <u>我 不 喜欢 吃 辣的了</u>。

⑤ A: 你 还 在 那 家 公司 工作 吗?
　　Nǐ hái zài nà jiā gōngsī gōngzuò ma?

B: <u>我 不 在 那 家 公司 工作 了</u>。

3 Choose the right expression to complete the sentence.

① 小 王_____。
Xiǎo Wáng

A 很 对 游泳 感 兴趣
　hěn duì yóuyǒng gǎn xìngqù

B 对 游泳 很 感 兴趣
　duì yóuyǒng hěn gǎn xìngqù

② 他 以前＿＿＿＿＿＿＿＿＿。
Tā yǐqián

A 对 京剧 不 感 兴趣
duì jīngjù bù gǎn xìngqù

B 不 对 京剧 感 兴趣
bú duì jīngjù gǎn xìngqù

③ 你 今天＿＿＿＿＿＿＿吗?
Nǐ jīntiān ma?

A 不 想 去 健身 了
bù xiǎng qù jiànshēn le

B 想 不 去 健身 了
xiǎng bú qù jiànshēn le

④ 我 以前 很 喜欢 画画儿, 现在＿＿＿＿＿＿＿。
Wǒ yǐqián hěn xǐhuan huà huàr, xiànzài

A 太不 喜欢
tài bù xǐhuan

B 不 太 喜欢 了
bú tài xǐhuan le

⑤ 我 现在＿＿＿＿＿＿＿。
Wǒ xiànzài

A 对 写了 毛笔字 不感 兴趣
duì xiěle máobǐzì bù gǎn xìngqù

B 对 写 毛笔字 不 感 兴趣 了
duì xiě máobǐzì bù gǎn xìngqù le

IV. Communication Skills

Complete the following dialogues.

① A: _____?

B: 我　想　当　老师。
Wǒ xiǎng dāng lǎoshī.

A: 你　以前　不　是　想　去　公司　工作　吗?
Nǐ yǐqián bú shì xiǎng qù gōngsī gōngzuò ma?

B: _____。

A: _____?

B: 我　现在　对　在　公司　工作　不　感　兴趣。
Wǒ xiànzài duì zài gōngsī gōngzuò bù gǎn xìngqù.

② A: 你　最近　工作　忙　吗?
Nǐ zuìjìn gōngzuò máng ma?

B: _____。

A: 听说　你们　的　工作　压力　很　大。
Tīngshuō nǐmen de gōngzuò yālì hěn dà.

B: _____。

A: 你　不　想　换　工作　吗?
Nǐ bù xiǎng huàn gōngzuò ma?

B: _____。

A: 但是　压力　小　了，收入　也　就　少　了。
Dànshì yālì xiǎo le, shōurù yě jiù shǎo le.

B: _____。

V. Chinese Characters

Basic Knowledge

牛 The radical 牛 (niú zì páng), originally developed from the image of an ox. The original meanings of the characters with 牛 as their radical are generally related to the ox. For example, 牺(xī), 牲 (shēng), 物(wù), 特(tè), etc.

1 Write down the Chinese characters with the following radicals and form words with them.

① 牛 (　　　) ＿＿＿＿＿＿＿

　　　 (　　　) ＿＿＿＿＿＿＿

　　　 (　　　) ＿＿＿＿＿＿＿

② 马 (　　　) ＿＿＿＿＿＿＿

　　　 (　　　) ＿＿＿＿＿＿＿

　　　 (　　　) ＿＿＿＿＿＿＿

2 Practise writing the characters.

一十土キキキ走走走赶趄趄趄趣趣

趣 | 趣 | 趣

一厂厂尺厉压压

压 | 压 | 压

丿入

入 | 入 | 入

一十扌扌扫扫扫扫捐排排排

排 | 排 | 排

丶讠讠讵讵调调调调

调 | 调 | 调

丿亻仁仃仃俩俩俩俩

俩 | 俩 | 俩

Unit Five

第 五 单 元

这　　家　　公司　　怎么样
Zhè　　jiā　　gōngsī　　zěnmeyàng

What do you think about this company

Key Points

Subject	Looking for a job
Goals	Learn to talk about one's basic qualifications for and demands on a job
Grammar Points	• "是 +Time/Place + Verb phrase + 的" • "又 + A + 又 + B"

Focal Sentences	Major points in communication	Examples
	Asking and telling about the university from which one has graduated	（你）是哪个大学毕业的？ ——我是经贸大学毕业的。
	Asking and telling the time when one graduated	（你）哪年毕业的？ ——前年毕业的。
	Asking what one is good at	你有什么特长？
	Asking where one's language stands	你的汉语水平怎么样？

Words and Phrases	困　招聘　聪明　能干　毕业　经贸　前年　女孩儿　外语 面试　工资　环境　满意　近　开车　特长
Chinese Characters	困　招　聘　聪　干　毕　贸　境　满
Phonetics	Review of syllables

Exercises

 Ⅰ.Pronunciation

Read the following words aloud. Pay attention to their pronunciations and tones.

zhōngjiān	zhèngjiàn	zhījǐ	zhíjiē
chūqī	Chóngqìng	qǔchǐ	chuánqí
shāngxīn	shàngxué	shíxiàn	shǒuxiān
sīxiǎng	suōxiǎo	sīxīn	sòngxíng

 Ⅱ.Words and Expressions

1 Pick out the word that does not belong to the group.

① 聪明　　　　能干　　　　漂亮　　　　满意　　　　　（　　　　）
　 cōngming　nénggàn　 piàoliang　 mǎnyì

② 远　　　　 困　　　　 近　　　　 高　　　　　　　　（　　　　）
　 yuǎn　　 kùn　　　 jìn　　　 gāo

③ 今年　　 开 车　　 去年　　　 前年　　　　　　　（　　　　）
　 jīnnián　 kāi chē　 qùnián　　 qiánnián

④ 女孩儿　　记者　　画家　　护士　　　　　　　（　　　　）
　　 nǔháir　　jìzhě　　huàjiā　　hùshi

⑤ 环境　　工资　　面试　　特长　　　　　　　　（　　　　）
　　 huánjìng　　gōngzī　　miànshì　　tècháng

2 Choose the right word to fill in the blank (1).

毕业	开车	满意	面试	招聘
bìyè	kāichē	mǎnyì	miànshì	zhāopìn

① 我们　公司　最近　要＿＿＿＿＿＿两　名　新　职员。
　　Wǒmen gōngsī zuìjìn yào　　　　　　liǎng míng xīn zhíyuán.

② 小　王　正在　学＿＿＿＿＿＿呢。
　　Xiǎo Wáng zhèngzài xué　　　　　　ne.

③ 我　对　这里　的　工作　环境　很＿＿＿＿＿＿。
　　Wǒ duì zhèli de gōngzuò huánjìng hěn

④ 你　是　哪个　大学＿＿＿＿＿＿的?
　　Nǐ shì nǎge dàxué　　　　　　de?

⑤ 明天　我要　去一家　广告　公司　参加＿＿＿＿＿＿。
　　Míngtiān wǒ yào qù yì jiā guǎnggào gōngsī cānjiā

Choose the right word to fill in the blank (2).

聪明　　　经贸　　外语　　特长　　工资
cōngming　jīngmào　wàiyǔ　tècháng　gōngzī

① 小　张　的　女朋友　又＿＿＿＿＿＿＿＿又　能干。
　Xiǎo Zhāng de nǚpéngyou yòu　　　　　　　yòu nénggàn.

② 李　明　会　说　三　种＿＿＿＿＿＿＿＿＿。
　Lǐ Míng huì shuō sān zhǒng

③ 你 有　什么＿＿＿＿＿＿＿＿＿＿?
　Nǐ yǒu shénme

④ 你们　公司　职员　的＿＿＿＿＿＿＿＿高 吗?
　Nǐmen gōngsī zhíyuán de　　　　　　gāo ma?

⑤ 你 是　学＿＿＿＿＿＿＿＿专业　的 吗?
　Nǐ shì xué　　　　　　zhuānyè de ma?

III. Grammar

Grammar Points

● "是 +Time/Place+Verb phrase+ 的"

Subject(Noun/Pronoun)+ 是 +Time/Place+Verb phrase+ 的

我　是　去年　　毕业　的。
Wǒ　shì　qùnián　bìyè　de.

他　是　从　　上海　　来　的。
Tā　shì　cóng　Shànghǎi　lái　de.

● "又 +A+ 又 +B"

Subject(Noun/Pronoun)+ 又 +A+ 又 +B

王　杨　　又　　聪明　　又　能干。
Wáng Yáng　yòu　cōngming　yòu　nénggàn.

我　做　的菜　又　　好看　　又　好吃。
Wǒ　zuò　de cài　yòu　hǎokàn　yòu　hǎochī.

1　Rewrite the following sentences, using the "又 +A+ 又 +B" construction.

① 我　现在　　很累，也　很　困。
　　Wǒ xiànzài　hěn lèi,　yě hěn kùn.

_____

② 她的　　男朋友　　很　高，也　很　　帅。
　　Tā de nánpéngyou hěn gāo, yě hěn shuài.

_____

③ 坐　地铁去　很　快，也　很　方便。
　　Zuò dìtiě qù hěn kuài, yě hěn fāngbiàn.

_____

④ 你 穿 这 件 衣服 很 漂亮， 也 很 合适。
Nǐ chuān zhè jiàn yīfu hěn piàoliang, yě hěn héshì.

_____

⑤ 这 次考试 的 题 很 多， 也 很 难。
Zhè cì kǎoshì de tí hěn duō, yě hěn nán.

_____

2 Complete the following dialogues.

① A: <u>他 是 那 个 术大学 毕业 的</u>?

B: 他 是 北京 大学 毕业 的。
Tā shì Běijīng Dàxué bìyè de.

② A: _____?

B: 我 是 在 学校 的 书店 买 的 这 本 书。
Wǒ shì zài xuéxiào de shūdiàn mǎi de zhè běn shū.

③ A: _____?

B: 我 是 今天 上午 到 的 北京。
Wǒ shì jīntiān shàngwǔ dào de Běijīng.

④ A: _____?

B: 对， 我 是 今年 毕业 的。
Duì, wǒ shì jīnnián bìyè de.

⑤ A: _____?

B: 我 是 和 我 朋友 一起 来 的。
Wǒ shì hé wǒ péngyou yìqǐ lái de.

3 Determine if the given sentences are right or wrong and correct the wrong one(s).

① 这个 菜 又 辣 也 甜， 我 不 喜欢。 （　　　）
Zhège cài yòu là yě tián, wǒ bù xǐhuan.

_____

② 我们 经理 的 秘书 小 张 又 漂亮 又 能干。
Wǒmen jīnglǐ de mìshū Xiǎo Zhāng yòu piàoliang yòu nénggàn.

（　　　）

_____

③ 这 家 饭馆 的 服务 又 热情 又 好吃。 （　　　）
Zhè jiā fànguǎn de fúwù yòu rèqíng yòu hǎochī.

_____

④ 她 是 北京 大学 毕业。 （　　　）
Tā shì Běijīng Dàxué bìyè.

_____

⑤ 我 今天 是 在 食堂 吃 的 早饭。 （　　　）
Wǒ jīntiān shì zài shítáng chī de zǎofàn.

_____

IV. Communication Skills

Complete the following dialogues.

① A: 你 好, 欢迎 你来 我们 公司 面试。
     Nǐ hǎo, huānyíng nǐ lái wǒmen gōngsī miànshì.

B: _____。

A: 你 是 哪年 毕业 的?
     Nǐ shì nǎ nián bìyè de?

B: _____。

A: 你 的 英语 水平 怎么样?
     Nǐ de Yīngyǔ shuǐpíng zěnmeyàng?

B: _____。

A: 你 有 什么 特长 吗?
     Nǐ yǒu shénme tècháng ma?

B: _____。

② A: _____。

B: 你 对 现在 的 工作 不 满意 吗?
     Nǐ duì xiànzài de gōngzuò bù mǎnyì ma?

A: _____。

B: 我 觉得 远近 没 关系, 工资 是 最 重要 的。
     Wǒ juéde yuǎnjìn méi guānxi, gōngzī shì zuì zhòngyào de.

A: _____。

B: 那 你 是 应该 换 个 工作。
     Nà nǐ shì yīnggāi huàn ge gōngzuò.

A: _____。

B: 好。 我 现在 就 上网 帮 你 查。
　　Hǎo. Wǒ xiànzài jiù shàngwǎng bāng nǐ chá.

V. Chinese Characters

Basic Knowledge

耳 The radical 耳(ěr zì páng), originally developed from the image of the ear of a man. The original meanings of the characters with 耳 as their radical are generally related to "ear". For example, 取(qǔ), 聪(cōng), 聘(pìn), etc.

1 Write down the Chinese characters with the following radicals and form words with them.

① 耳 (　　　) _____

　　 (　　　) _____

　　 (　　　) _____

② 阝 (　　　) _____

　　 (　　　) _____

　　 (　　　) _____

2 Practise writing the characters.

丨 冂 冂 用 用 困 困

| 困 | 困 | 困 | | | | | | | | | | | |

一 十 才 扌 扫 扫 招 招

| 招 | 招 | 招 | | | | | | | | | | | |

一 丆 丌 丌 月 耳 耳 耵 耵 聍 聍 聘 聘

| 聘 | 聘 | 聘 | | | | | | | | | | | |

一 丆 丌 丌 月 耳 耳 耶 耶 耴 耵 耺 聪 聪 聪

| 聪 | 聪 | 聪 | | | | | | | | | | | |

一 二 干

| 干 | 干 | 干 | | | | | | | | | | | |

一 上 比 比 毕 毕

| 毕 | 毕 | 毕 | | | | | | | | | | | |

丶 ㇆ ㇆ 仒 卯 卯 卯 贸 贸 贸

贸	贸	贸									

一 十 十 圠 圠 圠 圹 圹 坪 坪 培 培 培 境 境

境	境	境									

丶 丶 氵 氵 汒 汒 洘 渀 满 满 满 满 满

满	满	满									

Unit Six

第六单元

入学　手续　怎么　办理
Rùxué　shǒuxù　zěnme　bànlǐ

How can I go through the enrolling procedure

Key Points

Subject	Going through formalities
Goals	Learn to use the general terms when going through formalities.
Grammar Points	• "是 + Agent + Verb phrase + 的" • "快要……了" • The modal verb "需要"

Focal Sentences	Major points in communication	Examples
	Enquiring how to go through the formalities	入学手续怎么办理？
	Stating something is going to happen	飞机快要起飞了。
	Expressing worries	我怕来不及了。
	Indicating if time permits	来得及。 来不及。

Words and Phrases	入学 手续 办理 报到 然后 学费 校外 记得 出境卡 出境 卡 没 夹 重 签名 飞机 快 起飞 怕 来不及 来得及 照片 报名费 办公楼 时 准考证 回答 都
Chinese Characters	续 然 费 卡 夹 重 签 飞 怕
Phonetics	Review of syllables

Exercises

 I .Pronunciation

Read the following words aloud. Pay attention to their pronunciations and
tones.

zhànchǎng	chǎnchū	cāngkù	gāochāo
chēzhàn	chūshēng	chéngshì	Chángchéng
xùnsù	xiāngsī	xiāosǎ	xīnsuān
tuīchí	chēcì	zǒngcái	zūnzhòng

 II . Words and Expressions

1 Fill in the blanks to form phrases.

① ＿＿＿＿＿＿费　　② ＿＿＿＿＿＿卡　　③ ＿＿＿＿＿＿证
　　　　　fèi　　　　　　　　　kǎ　　　　　　　　　zhèng

　　＿＿＿＿＿＿费　　　＿＿＿＿＿＿卡　　　＿＿＿＿＿＿证
　　　　　fèi　　　　　　　　　kǎ　　　　　　　　　zhèng

　　＿＿＿＿＿＿费　　　＿＿＿＿＿＿卡　　　＿＿＿＿＿＿证
　　　　　fèi　　　　　　　　　kǎ　　　　　　　　　zhèng

2 Choose the right word to fill in the blank (1).

回答	报到	办理	记得	怕
huídá	bàodào	bànlǐ	jìde	pà

① 请 你＿＿＿＿＿＿＿＿＿我 一 个 问题。
   Qǐng nǐ   wǒ yí ge wèntí.

② 我＿＿＿＿＿＿＿＿你 说过 你 在 中国 有 个 外婆。
   Wǒ   nǐ shuōguo nǐ zài Zhōngguó yǒu ge wàipó.

③ 我 找到了 一 个 新 的 工作,
   Wǒ zhǎodàole yí ge xīn de gōngzuò,

   下 星期 去＿＿＿＿＿＿＿＿。
   xià xīngqī qù

④ 请 问, 怎么＿＿＿＿＿＿＿＿ 报名 手续?
   Qǐng wèn, zěnme   bàomíng shǒuxù?

⑤ 我们 快 回 宿舍 吧, 我＿＿＿＿＿＿＿＿再 下雨。
   Wǒmen kuài huí sùshè ba, wǒ   zài xiàyǔ.

Choose the right word to fill in the blank (2).

然后	照片	重	夹	时
ránhòu	zhàopiàn	chóng	jiā	shí

① 报到_____再 交 学费。
　　Bàodào　　　　　　　　　　zài jiāo xuéfèi.

② 我们　先　逛街,_____去 吃 北京　烤鸭。
　　Wǒmen　xiān guàngjiē,　　　　　　　　qù chī Běijīng kǎoyā.

③ 电影　票 我_____在 词典 里 了。
　　Diànyǐng piào wǒ　　　　　　　　zài cídiǎn li le.

④ 参加　健身　比赛　的 人　明天　　带　两
　　Cānjiā jiànshēn bǐsài de rén míngtiān dài liǎng

　　张_____。
　　zhāng

⑤ 这　张　画儿　没　画好,
　　Zhè zhāng huàr méi huàhǎo,

　　我 要_____画 一 张。
　　wǒ yào　　　　　　　　huà yì zhāng.

Ⅲ. Grammar

Grammar Points

● "是 +Agent+Verb phrase+ 的"

Subject(Noun / Pronoun)+ 是 +Agent+Verb phrase+ 的

这 本 词典 是 朋友 送给 我 的。
Zhè běn cídiǎn shì péngyou sònggěi wǒ de.

这些 菜 是 山口 做 的。
Zhèxiē cài shì Shānkǒu zuò de.

● "快要……了"

Subject(Noun/Pronoun)+ 快要……了

飞机 快要 起飞 了。
Fēijī kuàiyào qǐfēi le.

电影 快要 开始 了。
Diànyǐng kuàiyào kāishǐ le.

● The modal verb "需要"

Subject(Noun/Pronoun)+ 需要 +Verb phrase

你 需要 填上 电话 号码。
Nǐ xūyào tiánshang diànhuà hàomǎ.

你 需要 交 200 块 钱。
Nǐ xūyào jiāo èrbǎi kuài qián.

1 Choose the right expression to complete the sentence.

① _____，我们　进　教室　　吧。
　　　　　　　　　　　wǒmen　jìn　jiàoshì　ba.

　　　A 快要　　上课　　了
　　　　kuàiyào　shàngkè　le

　　　B 快要　　　上课
　　　　kuàiyào　shàngkè

② 快　点儿　走，_____。
　Kuài　diǎnr　zǒu,

　　　A 讲座　　　快　　开始
　　　　jiǎngzuò　kuài　kāishǐ

　　　B 讲座　　　　快要　　开始　了
　　　　jiǎngzuò　　kuàiyào　kāishǐ le

③ 去　医院　以前，你_____。
　Qù　yīyuàn　yǐqián,　nǐ

　　　A 需要　多　喝　点儿　水
　　　　xūyào　duō　hē　diǎnr　shuǐ

　　　B 多　需要　喝　点儿　水
　　　　duō　xūyào　hē　diǎnr　shuǐ

④ 这个　菜_____。
　Zhège　cài

　　　A 是　我　妈妈　做　的
　　　　shì　wǒ　māma　zuò　de

　　　B 是　我　妈妈　做
　　　　shì　wǒ　māma　zuò

⑤ 这　张　画儿_____。
Zhè　zhāng　huàr

　A 李 老师　画
　　Lǐ　lǎoshī　huà

　B 是 李 老师　画　的
　　shì　Lǐ lǎoshī　huà　de

↙ not specific

is going to happen (in a short time)

2 Write sentences with the "快要……了" construction according to the given situations.

① 今天　3 号，我　朋友　4 号　(来) 北京。
Jīntiān　sān　hào, wǒ péngyou　sì hào　(lái) Běijīng.

_____

② 我　的　感冒药　只有　一　片儿 了。
Wǒ de　gǎnmào yào zhǐyǒu　yí　piànr le.

快要 吃 wán 了。

③ 球赛　7 点　开始，现在　6 点　55。
Qiúsài qī diǎn kāishǐ, xiànzài　liù diǎn wǔshíwǔ.

_____

④ 我　还有　一 道 题 就 写完 今天　的 作业 了。
Wǒ háiyǒu yí dào tí jiù xiěwán jīntiān de zuòyè le.
　　　　　　　　　　　　　　SUBJECT

_____

⑤ 老 张　的 女儿 今年　7 月　大学　毕业。
Lǎo Zhāng　de nǚ'ér jīnnián　qī yuè dàxué bìyè.

_____

3 Complete the following sentences with the "是 +Agent+Verb phrase+ 的 "
construction.

① 这些　水果＿是 吗吗 天的＿＿＿＿＿。
　　Zhèxiē shuǐguǒ

② 这 件 礼物＿是爸爸 天的＿＿＿＿＿。
　　Zhè jiàn lǐwù

③ 我 的 入学 手续＿＿＿＿＿＿＿＿＿。
　　Wǒ de rùxué shǒuxù

④ 我 的 学费＿＿＿＿＿＿＿＿＿＿＿。
　　Wǒ de xuéfèi

⑤ 这 份 调查　报告＿＿＿＿＿＿＿＿＿。
　　Zhè fèn diàochá bàogào

IV. Communication Skills

Complete the following dialogues.

① A: _____?

   B: 先　填好　这　张　表，然后　交　钱。
   　　Xiān tiánhǎo zhè zhāng biǎo, ránhòu jiāo qián.

   A: _____。

   B: 给　我　两　张　照片。
   　　Gěi wǒ liǎng zhāng zhàopiàn.

   A: _____。_____?

   B: 一百　二十　块。
   　　Yì bǎi èrshí kuài.

   A: _____。

   B: 这　是　你　的　准考证，请　收好。
   　　Zhè shì nǐ de zhǔnkǎozhèng, qǐng shōuhǎo.

② A：请　　问，怎么　办理　入住　手续？
　　Qǐng　wèn, zěnme　bànlǐ　rùzhù　shǒuxù?

B：＿＿＿＿＿＿＿＿＿＿＿＿＿＿＿＿＿＿＿＿。

A：可是　我　没　带　　学生证。
　　Kěshì　wǒ　méi　dài　xuéshēngzhèng.

B：＿＿＿＿＿＿＿＿＿＿＿＿＿＿＿＿＿＿＿＿。

A：这　是　我　的　　护照。
　　Zhè　shì　wǒ　de　hùzhào.

B：＿＿＿＿＿＿＿＿＿＿＿＿＿＿＿＿＿＿＿？

A：我　要　住　半　年。
　　Wǒ　yào　zhù　bàn　nián.

B：＿＿＿＿＿＿＿＿＿＿＿＿＿＿＿＿＿＿＿。

A：我　　填好　了。您　　看看。
　　Wǒ　tiánhǎo le. Nín　kànkan.

B：＿＿＿＿＿＿＿＿＿＿＿＿＿＿＿＿＿＿＿。

V. Chinese Characters

Basic Knowledge

灬 The radical 灬 (huǒ zì dǐ), originally developed from the character 火. The original meanings of the characters with 灬 as their radical are generally related to "fire". For example, 点(diǎn), 热(rè), 然(rán), 黑(hēi), etc.

1 Write down the Chinese characters with the following radicals and form words with them.

① 灬　(　　　　) _____

　　　　(　　　　) _____

　　　　(　　　　) _____

② 竹　(　　　　) _____

　　　　(　　　　) _____

　　　　(　　　　) _____

2 Practise writing the characters.

纟 纟 纟 纟 纻 纻 纻 纻 纻 续 续

续	续	续								

丿 夕 夕 夕 夕 夘 夘 夘 夘 然 然 然

然	然	然								

一 ㇆ 弓 弗 弗 弗 弗 费 费

费	费	费								

丨 卜 上 卡 卡

卡	卡	卡								

一 ㇆ 冂 立 夹 夹

夹	夹	夹								

一 ニ 千 千 市 甫 甫 重 重 重

重	重	重								

丿 𠂉 𠂉 𥫗 竹 竻 竺 笞 签 签 签 签 签

签 | 签 | 签 | | | | | | | | | | |

乁 飞 飞

飞 | 飞 | 飞 | | | | | | | | | | |

丶 丷 忄 忄 忄 怕 怕 怕

怕 | 怕 | 怕 | | | | | | | | | | |

Unit Seven

第七单元

祝 你 工作 顺利！ 干杯！
Zhù nǐ gōngzuò shùnlì！ Gānbēi！

Wish you good luck with your work.
Cheers

Key Points

Subject	Inviting guests	
Goals	Learn to invite people to gatherings, propose a toast and pay the bill	
Grammar Points	• "Verb + 着 + Noun phrase" • "Verb$_1$ + 着 + Verb$_2$"	
Focal Sentences	Major points in communication	Examples
	Speaking up one's mind	说实话，我怕跟陌生人聚会。
	Making the other rest assured	别担心，我会一直陪着你。
	Proposing a toast	干杯！ 为我们的友谊干杯！
	Expressing wishes to the other	祝你工作顺利！ 祝你年轻漂亮！
	Making clear who is to pay	今天我请客！ 我们还是各付各的吧。
Words and Phrases	祝 顺利 说实话 怕 陌生人 聚会 陪 围 公关部 站 老板 祝酒辞 为 来 年轻 低头 买单 付 各 付钱	
Chinese Characters	实 陌 聚 陪 围 祝 辞 顺 利 低 各 付	
Phonetics	Review of syllables	

第七单元

Exercises

I. Pronunciation

Read the following words aloud. Pay attention to their pronunciations and tones.

rìlì	rénlèi	rèliàng	rèliè
lǎorén	lìrú	liànrén	lěngrè
liánluò	liúlù	núlì	lǐlùn
lìrùn	liánrèn	nánnǚ	rènao

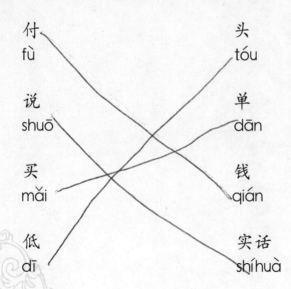

II. Words and Expressions

1 Match the words in the two columns to form phrases.

付　　　　　　　　　头
fù　　　　　　　　　tóu

说　　　　　　　　　单
shuō　　　　　　　　dān

买　　　　　　　　　钱
mǎi　　　　　　　　　qián

低　　　　　　　　　实话
dī　　　　　　　　　shíhuà

2 Choose the right word to fill in the blank (1).

怕	陪	站	祝	围
pà	péi	zhàn	zhù	wéi

① _祝_ _____ 你 生日 快乐！
nǐ shēngri kuàilè!

② 他 不 喜欢 _陪_ _____ 女朋友 逛街。
Tā bù xǐhuan nǚpéngyou guàngjiē.

③ 很 多 人 _围_ _____ 着 的 那个 人 就 是 经理。
Hěn duō rén zhe de nàge rén jiù shì jīnglǐ.

④ _____ 在 麦克 旁边 的 那个 人 是 谁?
zài Màikè pángbiān de nàge rén shì shuí?

⑤ 我 最 _____ 参加 考试。
Wǒ zuì cānjiā kǎoshì.

Choose the right word to fill in the blank   (2).

顺利	年轻	聚会	老板	各
shùnlì	niánqīng	jùhuì	lǎobǎn	gè
				each

① 希望　你 工作_____!
Xīwàng nǐ gōngzuò

② 那个　坐着　的人　就　是　我们　的_____。
Nàge zuòzhe de rén jiù shì wǒmen de

③ 今天　　晚上　　我　要　去　参加　老　　同学
Jīntiān wǎnshang wǒ yào qù cānjiā lǎo tóngxué

的_聚会_____。
de

④ 中国____各_____地 有 各 地 的　生活　　习惯。
Zhōngguó   dì yǒu gè dì de shēnghuó xíguàn.
                place

⑤ 我们　　公司_____人 很　多。
Wǒmen gōngsī   rén hěn duō.

III. Grammar

Grammar Points

- "Verb+ 着 +Noun phrase"

  我 会 想着 这 件 事 的。
  Wǒ huì xiǎngzhe zhè jiàn shì de.

  你 帮 我 拿着 这个 包。
  Nǐ bāng wǒ názhe zhège bāo.

- "Verb₁+ 着 +Verb₂"

  Subject(Noun / Pronoun)+ Verb₁+ 着 +Verb₂

  我们 等着 上课 呢。
  Wǒmen děngzhe shàngkè ne.

  他 低着 头 走路。
  Tā dīzhe tóu zǒulù.

1 Complete the following sentences with the "Verb+ 着 +……" construction.

① 那个＿＿＿＿＿＿＿的 人　就 是 菲雅。
　　Nàge　　　　　　　de rén　jiù　shì　Fēiyǎ.

② 这么　　晚 了，没有　车 了。我们＿＿*zuo zhe chuzuche*＿＿吧。
　　Zhème wǎn le, méiyǒu　chē le. Wǒmen　　　　　　　　　ba.

③ ＿＿*ming zhao*＿＿＿＿＿是 我　的 习惯。
　　　　　　　　　　　　shì　wǒ　de xíguàn.

④ 玛丽　刚 买 了 件 旗袍 就＿＿*chuan zhe*＿＿照 了　张　　照片。
　　Mǎlì gāng mǎile jiàn qípáo　jiù　　　　　　　zhàole zhāng zhàopiàn.

⑤ 在　　中国　　　饭馆儿 吃饭，外国　人　都 要
　　Zài Zhōngguó　fànguǎnr chīfàn, wàiguó rén　dōu yào

＿* true zhe yong*＿一 筷子。
　　　　　　　　　　kuàizi.

2 Write sentences according to the given situations with the "Verb₁+着+Verb₂" construction.

① 他 看 电视 的 时候 常常   喝茶。
Tā kàn diànshì de shíhou chángcháng hē chá.

_____

② 我 打扫 房间 的 时候 听 音乐。
Wǒ dǎsǎo fángjiān de shíhou tīng yīnyuè.

_____

③ 妈妈 说 吃饭 的 时候 不 要 说话。
Māma shuō chīfàn de shíhou bú yào shuōhuà.

妈妈不要 吃着饭说话。

④ 星期天   她 常常   陪 妈妈 一起 去 逛街。
Xīngqītiān tā chángcháng péi māma yìqǐ qù guàngjiē.

_____

⑤ 李 老师 说 每天 来 上课 的 时候都 要 带 词典。
Lǐ lǎoshī shuō měi tiān lái shàngkè de shíhou dōu yào dài cídiǎn.

_____

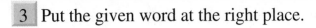

3 Put the given word at the right place.

① 李 冬生　　　平时　A 开 B 大灯　　C 看　D 书。　　　（着）
Lǐ Dōngshēng　píngshí　kāi　dàdēng　kàn　shū.　　zhe

② A 去 一 个　陌生　的　地方　应该　B 着　C
　qù　yí　ge　mòshēng　de　dìfang　yīnggāi　zhe

一 本　D　地图册。　　　　　　　　　　　（带）
yì běn　dìtúcè.　　　　　　　　　　　　dài

③ 你 看 A 书　用　B 的 桌子　最好 C 靠 D 窗户。　（着）
Nǐ kàn shū yòng　de zhuōzi zuìhǎo　kào chuānghu.　zhe

④ 别 着急，我 A 开着 车　B 你 C 去 D 飞机场。　（送）
Bié zháojí, wǒ kāizhe chē　nǐ qù fēijīchǎng.　sòng

⑤ 走 A 路 B 吃 C 东西 可 不 是 D 好 习惯。　（着）
Zǒu lù chī dōngxi kě bú shì hǎo xíguàn.　zhe

 IV. Communication Skills

Complete the following dialogues.

① A: 明天　　晚上　你 有　时间　吗?
　　Míngtiān wǎnshang nǐ yǒu shíjiān ma?

B: _____?

A: 我们　宿舍　有 个　聚会，请　你 来 参加。
　　Wǒmen sùshè yǒu ge jùhuì, qǐng nǐ lái cānjiā.

B: _____?

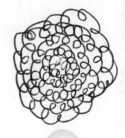

A: 明天 我 的 同学 要 去 英国 留学。
　　Míngtiān wǒ de tóngxué yào qù Yīngguó liúxué.

B: ＿＿＿＿＿＿＿＿＿＿＿＿＿＿＿＿？

A: 都 是 我 的 同学 和 朋友。
　　Dōu shì wǒ de tóngxué hé péngyou.

B: ＿＿＿＿＿＿＿＿＿＿＿＿＿＿＿＿。

② A: 我们 一起 去 吃饭 吧。
　　　Wǒmen yìqǐ qù chīfàn ba.

B: ＿＿＿＿＿＿＿＿＿＿＿＿＿＿＿＿。

A: 这 次 HSK 考试 我 考了 八 级。
　　Zhè cì HSK kǎoshì wǒ kǎole bā jí.

B: ＿＿＿＿＿＿＿＿＿＿＿＿＿＿＿＿。

A: 好， 今天 我 付钱。
　　Hǎo, jīntiān wǒ fùqián.

B: ＿＿＿＿＿＿＿＿＿＿＿＿＿＿＿＿。

A: 那 你 想 去 哪儿 吃?
　　Nà nǐ xiǎng qù nǎr chī?

B: ＿＿＿＿＿＿＿＿＿＿＿＿＿＿＿＿。

A: 走 吧!
　　Zǒu ba!

Ⅴ. Chinese Characters

Basic Knowledge

口 The radical 口 (dà kǒu kuàng). Examples: 困(kùn), 圆(yuán), 园(yuán), 围(wéi), etc.

1 Write down the Chinese characters with the following radicals and form words with them. Pay attention to the difference between the two radicals.

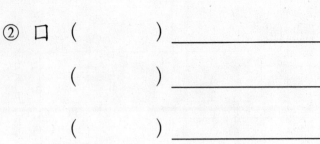

① 口 (   ) _____

   (   ) _____

   (   ) _____

② 口 (   ) _____

   (   ) _____

   (   ) _____

2 Practise writing the characters.

丶丶宀宀宀空实实

| 实 | 实 | 实 | | | | | | | | | |

丨阝阝阡阡阰陌陌

| 陌 | 陌 | 陌 | | | | | | | | | |

一丆丅丌丌耳取取聚聚聚聚聚聚

| 聚 | 聚 | 聚 | | | | | | | | | |

丨阝阝阝阝阼陪陪陪

| 陪 | 陪 | 陪 | | | | | | | | | |

丨冂冂月月同围围

| 围 | 围 | 围 | | | | | | | | | |

丶亻才衤衤礻礻礻祝

| 祝 | 祝 | 祝 | | | | | | | | | |

辞　丶　二　千　千　舌　舌　舌　舌　舌　舌　舌　舌　辞

辞	辞	辞								

顺　丿　刀　川　刂　刂　刂　顺　顺　顺

顺	顺	顺						

利　丿　二　千　千　禾　利　利

利	利	利						

各　丿　夕　夕　冬　各　各

各	各	各						

付　丿　亻　仁　什　付

付	付	付						

Unit Eight

第八单元

你 打算 去 哪个 国家 留学
Nǐ dǎsuan qù nǎge guójiā liúxué

Which country do you plan to study in

Key Points

Subject	Talking about plans and daily arrangements
Goals	Learn to talk about daily plans and arrangements in simple terms
Grammar Points	• Complement of result："Verb + 好" • "打算 + Verb phrase" • "再说" giving further explanations

Focal Sentences	Major points in communication	Examples
	Asking and telling about one's future plans	你打算去哪个国家留学？ 我打算去美国。
	Giving further explanations	……，再说，我正在读博士。
	Asking if it is possible to make a rearrangement of the time	约会的时间能改吗？
	Making suggestions	你最好别读博士。
	Giving further explanations	……，那就是说，你没有时间了？

Words and Phrases	留学 托福 出国 打算 国家 读 医学 博士 最好 酒吧 备课 父亲 导师 就是说 场 话剧 哎哟 糟糕 约会 改 约 茶馆
Chinese Characters	托 福 博 吧 亲 哎 哟 糟 糕 约 改
Phonetics	Review of syllables

第八单元

Exercises

Ⅰ.Pronunciation

Read the following words aloud. Pay attention to their pronunciations and tones.

gòngtóng	chōngdòng	yǒngyuǎn	yīngyǒng
jiǎndān	liánhuān	huāngmáng	yángguāng
dāngrán	xiànxiàng	shàngbān	liánxiǎng
běnnéng	zhēnchéng	shénshèng	chéngrèn

Ⅱ. Words and Expressions

1 Fill in the blanks to form phrases.

① ＿＿＿＿＿＿＿剧
　　　　　　jù

＿＿＿＿＿＿＿剧
　　　　　　jù

＿＿＿＿＿＿＿剧
　　　　　　jù

② ＿＿＿＿＿＿＿课
　　　　　　kè

＿＿＿＿＿＿＿课
　　　　　　kè

＿＿＿＿＿＿＿课
　　　　　　kè

③ _____馆
　　　　　　　　guǎn

_____馆
　　　　　　　　guǎn

_____馆
　　　　　　　　guǎn

④ _____师
　　　　　　　　shī

_____师
　　　　　　　　shī

_____师
　　　　　　　　shī

2 Choose the right word to fill in the blank (1).

留学　　博士　　读　　参加　　打算
liúxué　bóshì　dú　cānjiā　dǎsuan

① 明天　李明　要_____托福 考试。
　 Míngtiān Lǐ Míng yào　　　　　　　　Tuōfú kǎoshì.

他_____出国_____。
Tā　　　　　　chūguó

② 他要去美国_____医学_____。
　 Tā yào qù Měiguó　　　　　　yīxué

Choose the right word to fill in the blank (2).

父亲	酒吧	就是说	改	约
fùqin	jiǔbā	jiùshìshuō	gǎi	yuē

朋友_____我 今天 晚上 一起 去_____喝
Péngyou   wǒ jīntiān wǎnshang yìqǐ qù   hē

酒，可是 _____打 电话 来 说 母亲 病 了，
jiǔ, kěshì   dǎ diànhuà lái shuō mǔqin bìng le,

我 得 回家 去 看 妈妈，_____, 我
wǒ děi huí jiā qù kàn māma,   wǒ

只有_____时间 再 跟 朋友 去 喝 酒 了。
zhǐyǒu   shíjiān zài gēn péngyou qù hē jiǔ le.

III. Grammar

Grammar Points

● Complement of result : "Verb+ 好"

我 和 朋友 约好 星期天 一起 去 爬山。
Wǒ hé péngyou yuēhǎo xīngqītiān yìqǐ qù páshān.

菲雅 跟 玛丽 说好 一起 去 买 东西。
Fēiyǎ gēn Mǎlì shuōhǎo yìqǐ qù mǎi dōngxi.

● "打算 +Verb phrase"

Subject(Noun/Pronoun) + 打算 + Verb phrase

intends to...

芳芳 打算 去 美国 留学。
Fāngfāng dǎsuan qù Měiguó liúxué.

圆圆 打算 参加 健美 比赛。
Yuányuan dǎsuan cānjiā jiànměi bǐsài.

● "再说" giving further explanations

你 自己 去 吧。我 对 逛街 不 感 兴趣，
Nǐ zìjǐ qù ba. Wǒ duì guàngjiē bù gǎn xìngqù,

再说 我 也 没有 时间。
zàishuō wǒ yě méiyǒu shíjiān.

as well as that

你 就 买 这 件 吧。这 件 衣服 这么
Nǐ jiù mǎi zhè jiàn ba. Zhè jiàn yīfu zhème

same

漂亮， 再说 也 不 贵。
piàoliang, zàishuō yě bú guì.

also

1 Complete the following sentences with the "打算 +Verb phrase"
construction.

① 大学　毕业 以后＿＿＿＿＿＿＿＿＿＿＿＿＿＿＿＿。
　 Dàxué　bìyè　yǐhòu

② 今天　晚上　　不 加班,＿＿＿＿＿＿＿＿＿＿＿?
　 Jīntiān wǎnshang　bù jiābān,

③ 现在　　的　工作　工资　太 低了, ＿＿＿＿＿＿＿＿。
　 Xiànzài de　gōngzuò gōngzī　tài dī le,

④ 今天　　是 我　的　生日, ＿＿＿＿＿＿＿＿＿＿＿。
　 Jīntiān　shì wǒ　de shēngri,

⑤ 快　要 考试　　了, 我 打算去 ~~lu shu quan~~ xue xi。
　 Kuài yào kǎoshì　　le,

2 Complete the following dialogues with the "再说……" construction.

① A: 你 说 我们 怎么 去 呢?
　 Nǐ shuō wǒmen zěnme qù ne?

B: _____。

② A: 你 觉得 我 什么 时候 去 北京 玩儿 比较 好?
　 Nǐ juéde wǒ shénme shíhou qù Běijīng wánr bǐjiào hǎo?

B: _____。

③ A: 你 为什么 要 来 北京 学习 汉语?
　 Nǐ wèishénme yào lái Běijīng xuéxí Hànyǔ?

B: _____。

④ A: 今天 陪 我 去 酒吧, 怎么样?
　 Jīntiān péi wǒ qù jiǔbā, zěnmeyàng?

B: Dui Bu qu, 我 没 空儿。

⑤ A: 你 以后 想 做 什么 工作?
　 Nǐ yǐhòu xiǎng zuò shénme gōngzuò?

B: _____。

3 Write sentences according to the given dialogues with "约好" or "说好".

promise   appointment

约好
yuē hǎo

① 李　冬生：　　晓红，　　下午　我们 一起 去 图书馆　吧。
Lǐ Dōngshēng：　Xiǎohóng, xiàwǔ wǒmen yìqǐ qù túshūguǎn ba.

陈　晓红：　　好　啊!
Chén Xiǎohóng：Hǎo a!

_____

② 山　口：　　晚上　　　　我们　　一起　吃饭，怎么样?
Shānkǒu：　　Wǎnshang wǒmen yìqǐ chīfàn, zěnmeyàng?

金　太成：　　没　问题。
Jīn Tàichéng：Méi wèntí.

山口 he J.T.C. 约好 晚上 吃饭。

③ 麦克：　　　我们　7 点　在　学校　门口　见　吧。
Màikè：　　　Wǒmen qī diǎn zài xuéxiào ménkǒu jiàn ba.

圆圆：　　　行　啊!
Yuányuan：　 Xíng a!

_____

④ 金　太成：　　王　杨，　今天　太 晚 了，我　送
Jīn Tàichéng：Wáng Yáng, jīntiān tài wǎn le, wǒ sòng

你　回家。
nǐ huíjiā.

王　杨：　　　谢谢!
Wáng Yáng：　Xièxie!

J.T.C. 说 _____

⑤ 菲雅：　　　　李　老师，您　　帮帮　　我，行　吗?
Fēiyǎ:　　　　Lǐ lǎoshī, nín bāngbang wǒ, xíng ma?

李 冬生：　　　放心　　吧, 我　一定　　帮　　你。
Lǐ Dōngshēng:　Fàngxīn ba, wǒ yídìng bāng nǐ.

Li Dong sheng 约 好 帮帮 Fei Ya.

IV. Communication Skills

Complete the following dialogues.

① A: 周末　　你　有　约会　　吗?
Zhōumò nǐ yǒu yuēhuì ma?

B: _____。

A: 我们　　一起　去　看　话剧　《茶馆》　　吧!
Wǒmen yìqǐ qù kàn huàjù《Cháguǎn》 ba!

B: _____。

A: 那　你　想　做　什么?
Nà nǐ xiǎng zuò shénme?

B: _____。

A: 好　啊!
Hǎo a!

② A: 麦克， 晚上 我们 在 酒吧 有个 聚会，
Màikè, wǎnshang wǒmen zài jiǔbā yǒu ge jùhuì,

你 也 来 吧。
nǐ yě lái ba.

B: _____。

A: 你 的 约会 能 改 时间 吗?
Nǐ de yuēhuì néng gǎi shíjiān ma?

B: _____。

A: 是 不 是 和 女朋友 约会 呀?
Shì bu shì hé nǚpéngyou yuēhuì ya?

B: 不 是。_____。
Bú shì.

A: 那 我们 以后 再 聚 吧。
Nà wǒmen yǐhòu zài jù ba.

V. Chinese Characters

Basic Knowledge

礻 The radical 礻 (shì zì páng), appears on the left side of a character with a left-right structure. For example, 礼(lǐ), 祝(zhù), 福(fú), 神(shén), etc.

1 Write down the Chinese characters with the following radicals and form words with them. Pay attention to the difference between the two radicals.

①　礻　(　　　　) _____

　　　　(　　　　) _____

　　　　(　　　　) _____

②　衤　(　　　　) _____

　　　　(　　　　) _____

　　　　(　　　　) _____

　　　　(　　　　) _____

　　　　(　　　　) _____

2 Practise writing the characters.

一 亅 扌 扩 扗 托

托 | 托 托

` ⅂ 才 ⺭ 礻 衤 祁 袻 袻 禑 禑 福 福

福 | 福 福

一 十 十 才 忖 悔 悔 博 博 博 博 博

博 | 博 博

丨 冂 口 吖 叩 叩 吧

吧 | 吧 吧

丶 亠 ㆒ 宀 立 立 辛 亲 亲

亲 | 亲 亲

丶 丷 丬 半 米 米 米 粆 粕 粕 糟 糟 糟 糟 糟 糟

糟 | 糟 糟

丶 丷 爿 爿 半 米 米 米 粎 粎 粎 粎 糕 糕 糕 糕

| 糕 | 糕 | 糕 | | | | | | | | | |

丶 ㄥ ㄠ 纟 幺 约 约

| 约 | 约 | 约 | | | | | | | | | |

フ コ コ 改 改 改 改

| 改 | 改 | 改 | | | | | | | | | |

Unit Nine

第九单元

这个 周末 我们 班 同学 去 郊游
Zhège zhōumò wǒmen bān tóngxué qù jiāoyóu

Our class will go on an outing this weekend

Key Points

Subject	Talking about leisure
Goals	Learn to tell about spare time activities
Grammar Points	• Complement of degree："Verb + 得 + Adjective" • "可 + Adjective + 了" • "Adjective + 死了"

Focal Sentences	Major points in communication	Examples
	Feeling time flies	时间过得真快！
	Asking the other's spare time arrangements	你业余时间做什么？
	Making an obvious example for emphasis	同学们都希望你和我们一起去，特别是菲雅。
	Expressing affirmation	有道理。

Words and Phrases	谈恋爱　谈　恋爱　太极拳　知道　业余　跳舞　听　音乐　今晚　唱　卡拉OK　唱歌　保龄球　过　论文　特别　放松　玩　道理
Chinese Characters	恋　拳　余　乐　拉　歌　保　龄　论
Phonetics	Review of syllables

第九单元

Exercises

Ⅰ.Pronunciation

Read the following words aloud, and pay attention to their pronunciations and tones.

hégé	tèsè	gēbo	kèbó
bǐjì	jìyì	qūyù	yǔjù
shūfu	fúwù	jìlù	lǐwù
yǔyī	jǔlì	bǐyù	yìyù

Ⅱ. Words and Expressions

1 Match the words in the two columns to form phrases.

谈
tán

打
dǎ

有
yǒu

唱
chàng

跳
tiào

歌
gē

舞
wǔ

恋爱
liàn'ài

道理
dàoli

太极拳
tàijíquán

2 Choose the right word to fill in the blank (1).

听　　过　　知道　　保龄球　　道理
tīng　　guò　zhīdào　　bǎolíngqiú　dàoli

① 我　喜欢＿＿＿＿＿＿＿＿着　音乐　打扫　房间。
Wǒ　xǐhuan　　　　　　　　zhe　yīnyuè　dǎsǎo　fángjiān.

② 你们　国家　的　年轻人　怎么＿＿＿＿＿＿＿生日？
Nǐmen　guójiā　de　niánqīngrén　zěnme　　　　　　shēngri?

③ 工作　压力大的时候　我就去打打＿＿＿＿＿＿。
Gōngzuò　yālì　dà　de　shíhou　wǒ　jiù　qù　dǎda

④ 你＿＿＿＿＿＿＿山口　的　生日　是　哪天　吗？
Nǐ　　　　　　Shānkǒu　de　shēngri　shì　nǎ　tiān　ma?

⑤ 老师　的　话　很　有＿＿＿＿＿＿＿。
Lǎoshī　de　huà　hěn　yǒu

Choose the right word to fill in the blank (2).

放松　　　特别　　业余　　论文　　今晚
fàngsōng　tèbié　　yèyú　lùnwén　jīnwǎn

① 那里　的　交通＿＿＿＿＿＿＿方便。
Nàli　de　jiāotōng　　　　　　fāngbiàn.

② 最近 他 正在 写＿＿＿＿＿＿＿＿＿，忙 极 了。
　　Zuìjìn　tā　zhèngzài xiě　　　　　　　　máng　jí le.

③ 又 到 周末 了，我们 去＿＿＿＿＿＿＿＿一下儿 吧。
　　Yòu　dào　zhōumò le, wǒmen qù　　　　　　yíxiàr　ba.

④ 你＿＿＿＿＿＿＿＿时间 喜欢 做 什么？
　　Nǐ　　　　　　　shíjiān xǐhuan zuò　shénme?

⑤ ＿＿＿＿＿＿＿＿你们 有 什么 安排 吗？
　　　　　　　　　nǐmen yǒu shénme　ānpái ma?

III. Grammar

Grammar Points

● Complement of degree："Verb + 得 +Adjective"

我 昨天 晚上 休息 得 不错。
Wǒ zuótiān wǎnshang xiūxi de búcuò.

他 中国 歌 唱 得 很 好。
Tā Zhōngguó gē chàng de hěn hǎo.

● "可 + Adjective + 了"～ emphasis

现在 找 工作 可 难 了。
Xiànzài zhǎo gōngzuò kě nán le.

妈妈 做 的 饺子 可 好吃 了。
Māma zuò de jiǎozi kě hǎochī le.

"Adjective+ 死了"

今天　　我累　死了。
Jīntiān　wǒ lèi　sǐ le.

最近　　我忙　死了。
Zuìjìn　wǒ máng sǐ le.

1 Rewrite the following sentences with the " 可 +Adjective+ 了 " construction or "Adjective + 死了 " construction.

① 昨天　　晚上　我没　睡觉，现在　困　极了。
Zuótiān　wǎnshang wǒ méi　shuìjiào, xiànzài kùn　jí le.

_____

② 王　　秘书　特别　　能干。
Wáng mìshū　tèbié　nénggàn.

_____

③ 昨天　　的 HSK 考试　太　难　了。
Zuótiān　de HSK kǎoshì　tài　nán　le.

_____

④ 从　　学校　坐 公共　　汽车　去 那儿 麻烦　极了。
Cóng xuéxiào　zuò gōnggòng qìchē　qù　nàr　máfan jí le.

_____

⑤ 住 在 这个 小区 买　东西　　很　方便。
Zhù zài zhège xiǎoqū mǎi dōngxi hěn fāngbiàn.

_____

2 Look at the pictures, and write sentences with the "Verb+ 得 +Adjective"
construction.

①

_____

②

_____

③

_____

④

_____

⑤

_____

3 Choose the right expression to complete the sentence.

① 他＿＿＿＿＿＿＿＿＿。
Tā

    A 汉语　学　得　很　好
      Hànyǔ　xué　de　hěn　hǎo

    B 学　汉语　得　很　好
      xué　Hànyǔ　de　hěn　hǎo

② 采访　他＿＿＿＿＿＿＿＿＿。
Cǎifǎng　tā

    A 可　不　容易　了
      kě　bù　róngyì　le

    B 不　可　容易　了
      bù　kě　róngyì　le

③ 你＿＿＿＿＿＿＿＿＿。
Nǐ

    A 这　道　题答　得不　对
      zhè　dào　tí　dá　de　bú　duì

    B 这　道题　不　答　得　对
      zhè　dào　tí　bù　dá　de　duì

④ 面试　的 时候＿＿＿＿＿＿＿＿＿。
Miànshì　de　shíhou

    A 我　很　紧张　死了
      wǒ　hěn　jǐnzhāng　sǐ　le

    B 我　紧张　死了
      wǒ　jǐnzhāng　sǐ　le

⑤ 　圆圆_____。
Yuányuan

A 跳舞　　得　很　　好
tiàowǔ　de hěn　hǎo

B 舞　跳　　得　很　　好
wǔ　tiào　de　hěn　hǎo

Ⅳ. Communication Skills

Complete the following dialogues.

① 　A: _____?

B: 今天　　　晚上　　　我　　加班。
Jīntiān　wǎnshang　wǒ　jiābān.

A: _____?

B: 不　加班　的　时候　我　就　听听　音乐，　上上　　　网。
Bù jiābān de shíhou wǒ jiù　tīngting yīnyuè, shàngshang wǎng.

A: _____?

B: 不　喜欢。_____?
Bù xǐhuan.

A: 我　　业余　时间　　唱　　卡拉OK　和　游泳。
Wǒ　yèyú shíjiān chàng　kǎlā OK　hé　yóuyǒng.

② 　A: _____!

B: 是　啊，又　到　　周末　　了。我们　去　　放松　一下儿　吧！
Shì a,　yòu dào zhōumò le. Wǒmen qù　fàngsōng yíxiàr　ba!

A: _____?

B: 我们　　去　　游泳　　吧!
　　Wǒmen　qù　yóuyǒng　ba!

A: 不　好,　平时　也　可以　　游泳　　啊。
　　Bù hǎo,　píngshí　yě　kěyǐ　yóuyǒng　a.

B: _____。

A: 太　好　了!
　　Tài　hǎo　le!

V. Chinese Characters

Basic Knowledge

贝　The radical 贝 (bèi zì dǐ) or (bèi zì páng) used on the left side or at the bottom of a character. The original meanings of the characters with 贝 as their radical are generally related to money. For example, 财(cái), 货(huò), 贸(mào), 资(zī), 费(fèi), etc.

1　Write down the Chinese characters with the following radicals and form words with them. Pay attention to the difference between the two radicals.

① 贝　(　　　　)　_____

　　　　(　　　　)　_____

　　　　(　　　　)　_____

② 页 （　　　　）＿＿＿＿＿＿

（　　　　）＿＿＿＿＿＿

（　　　　）＿＿＿＿＿＿

（　　　　）＿＿＿＿＿＿

（　　　　）＿＿＿＿＿＿

（　　　　）＿＿＿＿＿＿

2 Practise writing the characters.

乐　`一 厂 牙 乐　乐`

一 十 才 扩 扩 拉 拉

| 拉 | 拉 | 拉 | | | | | | | | | | |

ノ イ 仁 仁 伅 伺 仔 仔 保

| 保 | 保 | 保 | | | | | | | | | | |

丨 卜 止 止 步 步 齿 齿 齿 龄 龄 龄 龄

| 龄 | 龄 | 龄 | | | | | | | | | | |

丶 讠 订 讨 讨 论 论

| 论 | 论 | 论 | | | | | | | | | | |

Unit Ten

第 十 单 元

又 到 周末 了,你 有 什么 安排
Yòu dào zhōumò le, nǐ yǒu shénme ānpái

It's weekend again. Do you have any plans

Key Points

Subject	Weekend planning
Goals	Learn to talk about typical weekend plans in simple terms
Grammar Points	<ul><li>"一边……，一边……"</li><li>Usage of the adverb "另外"</li><li>"挺 + Adjective + 的"</li><li>The modal verbs "应该" and "可以"</li></ul>

Focal Sentences	Major points in communication	Examples
	Asking about weekend plans	这个周末你有什么安排？
	Making suggestions	星期天你应该休息休息。
	Conditions permitting	下午你可以休息一下儿。
	Expressing the idea that one does not mind	没什么。

Words and Phrases	健身房　另外　打工　挣钱　一边　一边……一边……　举行 晚会　骑　马　有意思　考虑　看　家人　可以　长城
Chinese Characters	另　挣　举　行　骑　虑
Phonetics	Review of syllables

Exercises

Ⅰ.Pronunciation

Read the following words aloud. Pay attention to their pronunciations and tones.

pīnmìng	xīnqíng	xīnyǐng	jīngcháng
Chángchéng	zhèngcháng	chénggōng	hángkōng
píngděng	fēnglàng	tiānzhēn	píng'ān
jiǎnyǐng	qiānmíng	xiǎngniàn	fǎnyìng

Ⅱ. Words and Expressions

1 Match the words in the two columns to form phrases.

骑 qí	钱 qián
挣 zhèng	马 mǎ
举行 jǔxíng	问题 wèntí
考虑 kǎolù	晚会 wǎnhuì

2 Choose the right word or expression to fill in the blank (1).

考虑　　挣　　可以　　家人　　健身房
kǎolù　zhèng　kěyǐ　jiārén　jiànshēnfáng

① 我 要 打工＿＿＿＿＿＿＿自己 的 学费。
　　Wǒ yào dǎgōng　　　　　zìjǐ de xuéfèi.

② 请 经理＿＿＿＿＿＿＿一下儿 我 的 建议。
　　Qǐng jīnglǐ　　　　　yíxiàr wǒ de jiànyì.

③ 这 是 我 和＿＿＿＿＿＿＿的 照片。
　　Zhè shì wǒ hé　　　　de zhàopiàn.

④ 我 每 个 星期三 晚上 去＿＿＿＿＿＿＿。
　　Wǒ měi ge xīngqīsān wǎnshang qù

⑤ 你＿＿＿＿＿＿＿帮 我 个 忙 吗?
　　Nǐ　　　　　bāng wǒ ge máng ma?

Choose the right word or expression to fill in the blank (2).

有意思	骑	举行	一边	另外
yǒuyìsi	qí	jǔxíng	yìbiān	lìngwài

① 你 自己 去 吧。 我 对 武打片 不 感 兴趣，_____我
Nǐ zìjǐ qù ba. Wǒ duì wǔdǎpiàn bù gǎn xìngqù,   wǒ

还 要 写 调查 报告。
hái yào xiě diàochá bàogào.

② 他 喜欢_____听 音乐， 一边 写 作业。
Tā xǐhuan   tīng yīnyuè, yìbiān xiě zuòyè.

③ 这 本 小说 很_____， 我 建议 你 看看。
Zhè běn xiǎoshuō hěn   wǒ jiànyì nǐ kànkan.

④ 我 想_____自行车 去。
Wǒ xiǎng   zìxíngchē qù.

⑤ 今天 我们 公司 要_____新年 晚会。
Jīntiān wǒmen gōngsī yào   xīnnián wǎnhuì.

III.Grammar

Grammar Points

- "一边……，一边……"

  Subject(Noun/Pronoun) + 一边……，一边……

  我　　一边　　吃饭，　一边　看　　电视。
  Wǒ　　yìbiān chīfàn,　yìbiān　kàn　diànshì.

  他　　一边　　工作，　一边　学　汉语。
  Tā　　yìbiān gōngzuò,　yìbiān　xué　Hànyǔ.

- The usage of the adverb "另外"

  我　今天　晚上　　有　个　　辅导，另外
  Wǒ jīntiān wǎnshang yǒu ge fǔdǎo,　lìngwài

  还　要　准备　　明天　的 考试。
  hái yào zhǔnbèi míngtiān de kǎoshì.

  玛丽 来 北京　想　学习 汉语，另外
  Mǎlì lái Běijīng xiǎng xuéxí Hànyǔ,　lìngwài

  还　想 了解 一下儿　中国人　的　生活。
  hái xiǎng liǎojiě yíxiàr Zhōngguórén de shēnghuó.

- "挺 +Adjective+ 的"

  在 那儿　打工　挺　累　的。
  Zài nàr　dǎgōng tǐng lèi de.

  跟　他　谈话　挺 有意思 的。
  Gēn tā tánhuà tǐng yǒuyìsi de.

The modal verbs "应该" and "可以"

去　郊游　　的　时候　你　应该　带　　点儿　水。
Qù jiāoyóu de shíhou nǐ yīnggāi dài diǎnr shuǐ.

你　不　应该　吃　这么　多　甜　的　东西。
Nǐ bù yīnggāi chī zhème duō tián de dōngxi.

你　可以　给　我　翻译　吗?
Nǐ kěyǐ gěi wǒ fānyì ma?

我　可以　陪　你　去。
Wǒ kěyǐ péi nǐ qù.

1 Rewrite the following sentences with the "一边……，一边……" construction according to the given situations.

① 他　喜欢　听着　音乐　开车。
　Tā xǐhuan tīngzhe yīnyuè kāichē.

　_____

② 他　习惯　看着　电视　吃饭。
　Tā xíguàn kànzhe diànshì chīfàn.

　_____

③ 他　喜欢　走路　的　时候　考虑　问题。
　Tā xǐhuan zǒulù de shíhou kǎolǜ wèntí.

　_____

④ 你　不　要　开车　的　时候　打　电话。
　Nǐ bú yào kāichē de shíhou dǎ diànhuà.

　_____

⑤ 他　每天　上午　学习　汉语, 下午　去　公司　上班。
　Tā měitiān shàngwǔ xuéxí Hànyǔ, xiàwǔ qù gōngsī shàngbān.

2 Complete the following sentences using "另外".

① 我 不 能 跟 你 去 健身 了。
Wǒ bù néng gēn nǐ qù jiànshēn le.

我 这 几 天 感冒 了，_____。
Wǒ zhè jǐ tiān gǎnmào le,

② 下课 以后 要 复习 生词，_____。
Xiàkè yǐhòu yào fùxí shēngcí,

③ 我 去 邮局 取 包裹，_____。
Wǒ qù yóujú qǔ bāoguǒ,

④ 你 先 交 两 张 照片，_____。
Nǐ xiān jiāo liǎng zhāng zhàopiàn,

⑤ 我 以前 当过 老师，_____。
Wǒ yǐqián dāngguo lǎoshī,

3 Put the given word at the right place.

① 经理 A 对 他 的 工作 B 不 C 满意 D 的。　　　　　(挺)
Jīnglǐ duì tā de gōngzuò bù mǎnyì de.　　　　　tǐng

② A 你 B 不 C 刚 吃完 饭 D 就 跑步。　　　　　(应该)
nǐ bù gāng chīwán fàn jiù pǎobù.　　　　　yīnggāi

③ 我 A 用用 B 你 的 电脑 C 给 朋友 D 写 封
Wǒ yòngyong nǐ de diànnǎo gěi péngyou xiě fēng

信 吗?　　　　　(可以)
xìn ma?　　　　　kěyǐ

④ 麦克，这个 周末 A 你 B 教 C 我 D 打 网球 吗 (可以)
Màikè, zhège zhōumò nǐ jiāo wǒ dǎ wǎngqiú ma? kěyǐ

⑤ 那个　A 高高　的　女孩儿 B 也 C 喜欢 D 打　网球　　的。(挺)
Nàge　gāogāo　de　nǚháir　yě　xǐhuan　dǎwǎngqiú de. tǐng

IV. Communication Skills

Complete the following dialogues.

① A: 周末　　你 有　什么　　安排?
Zhōumò　nǐ yǒu　shénme　ānpái?

B: _____。

A: 周末　你 应该　出去 玩儿玩儿。我们　　去_____吧!
Zhōumò nǐ yīnggāi chūqu wánrwanr. Wǒmen qù　　　ba!

B: 不 行　啊,_____,另外　还要_____。
Bù xíng　a,　　　　　　　lìngwài hái yào

A: 星期六　　出去　玩儿,　星期天　学习　总　可以　吧?
Xīngqīliù　chūqu　wánr,　xīngqītiān xuéxí zǒng kěyǐ ba?

B: 那　我 考虑　考虑,_____?
Nà wǒ　kǎolù kǎolù,

A: _____。

② A: _____?

B: _____。你 有　什么　　事?
Nǐ yǒu shénme　shì?

A: 我们　　一起　去 骑马 吧。
Wǒmen　yìqǐ qù qímǎ ba.

B: 我 不　会 骑马。
Wǒ bú huì qímǎ.

A: _____。一边　骑马，
　　　　　　　　　　　　　　　Yìbiān　qímǎ,

一边　看　风景，　可　有意思　了！
yìbiān　kàn　fēngjǐng,　kě　yǒuyìsi　le!

B: 好　吧，_____。
　　Hǎo ba,

A: _____。

Ⅴ. Chinese Characters

Basic Knowledge

虍　The radical 虍(hǔ zì tóu) used on the top of a character, originally developed from the image of a tiger. For example, 虎 (hǔ), 虑(lǜ), 虏(lǔ), 虚(xū), etc.

1 Write down the Chinese characters with the following radicals and form words with them.

① 虍 (　　　　) _____

　　 (　　　　) _____

第十单元

② 扌 (   ) _____

(   ) _____

(   ) _____

(   ) _____

(   ) _____

(   ) _____ .

2 Practise writing the characters.

丶 ㄇ 口 号 另

| 另 | 另 | 另 | | | | | | | | | | | |

一 十 才 扌 扩 折 挣 挣 挣

| 挣 | 挣 | 挣 | | | | | | | | | | | |

丶 丷 ⺍ 兴 产 兴 兴 送 举

| 举 | 举 | 举 | | | | | | | | | | | |

ˊ ㄅ ㄔ ㄔ ㄔ 行 行

行 | 行 | 行 | | | | | | | | | |

ㄱ 马 马 马ˊ 马ˇ 马ˇ 骑 骑 骑 骑 骑

骑 | 骑 | 骑 | | | | | | | | | |

ㄧ ㄨ ㄩ 卢 卢 虍 虍 虑 虑 虑

虑 | 虑 | 虑 | | | | | | | | | |

Answer Key to Part of the Exercises

Unit One

Ⅱ. Words and Expressions

1. ① 只有　② 说话　③ 努力　④ 翻　⑤ 好

2.(1)① 还是　② 安静　③ 辅导　④ 准备　⑤ 及格

(2)① 不过　② 只有　③ 努力　④ 水平　⑤ 以上

Ⅲ. Grammar

2. ① 完　② 清楚　③ 住　④ 好　⑤ 错

3. ① D　② A　③ C　④ A　⑤ C

Ⅳ. Communication Skills

1. ①—E
   ②—C
   ③—A
   ④—B
   ⑤—D

2. ③ ⑤ ② ① ④

Unit Two

Ⅱ. Words and Expressions

1. 打网球　回家　上高中　出毛病　弹吉他

2.(1)① 忙　② 练　③ 紧张　④ 听说　⑤ 帮忙

(2)① 毛病　② 马马虎虎　③ 专业　④ 小时候　⑤ 年级

Ⅲ. Grammar

2.① 圆圆不会弹吉他。

② 我不会唱京剧。

③ 她不会做中国菜。

④ 他不会弹吉他。

⑤ 王杨不会说韩国语。

Unit Three

Ⅱ. Words and Expressions

2.(1)① 小说　② 食堂　③ 意见　④ 印象　⑤ 讲座

(2)① 放心　② 热情　③ 还　④ 有的　⑤ 懂

Ⅲ. Grammar

1.① 住　② 好　③ 到　④ 走　⑤ 完

2.① 这本书我看得懂。

② 你说的话我都听得懂。

③ 三个月你们学得完这本书吗?

④ 我们在客厅里说话你听得见吗?

⑤ 这么多生词你记得住吗?

Unit Four

Ⅱ. Words and Expressions

1. ① 安排、整理 ② 查、调查 ③ 总是、但是 ④ 急、忙

2. (1) ① 收入 ② 理想 ③ 兴趣 ④ 调查 ⑤ 安排

   (2) ① 总是 ② 报告 ③ 所以 ④ 急 ⑤ 压力

Ⅲ. Grammar

1. ① 菲雅对看电影很感兴趣。

   ② 王杨对上网很感兴趣。

   ③ 我们对中国菜很感兴趣。

   ④ 我对逛街不感兴趣。

   ⑤ 山口对看足球赛不感兴趣。

3. ① B ② A ③ A ④ B ⑤ B

Unit Five

Ⅱ. Words and Expressions

1. ① 满意 ② 困 ③ 开车 ④ 女孩儿 ⑤ 面试

2. (1) ① 招聘 ② 开车 ③ 满意 ④ 毕业 ⑤ 面试

   (2) ① 聪明 ② 外语 ③ 特长 ④ 工资 ⑤ 经贸

Ⅲ. Grammar

1. ① 我现在又累又困。

   ② 她的男朋友又高又帅。

③　坐地铁去又快又方便。

④　你穿这件衣服又漂亮又合适。

⑤　这次考试的题又多又难。

3.

①×　→这个菜又辣又甜，我不喜欢。

②✓

③×　→这家饭馆服务又热情菜又好吃。

④×　→她是北京大学毕业的。

⑤✓

Unit Six

Ⅱ. Words and Expressions

2.(1)①　回答　　②　记得　　③　报到　　④　办理　　⑤　怕

　　(2)①　时　　②　然后　　③　夹　　④　照片　　⑤　重

Ⅲ. Grammar

1.①A　　②B　　③A　　④A　　⑤B

2.　①　我朋友快要来北京了。

　　②　我的感冒药快要没了。

　　③　球赛快要开始了。

　　④　今天的作业我快要写完了。

　　⑤　老张的女儿快要大学毕业了。

Unit Seven

Ⅱ. Words and Expressions

1. 付钱　　说实话　　买单　　低头

2.(1)① 祝　　② 陪　　③ 围　　④ 站　　⑤ 怕

　(2)① 顺利　② 老板　③ 聚会　④ 各　⑤ 年轻

Ⅲ. Grammar

3. ① B　② B　③ D　④ B　⑤ A

Unit Eight

Ⅱ. Words and Expressions

2.(1)① 参加　② 打算　③ 留学　④ 读　⑤ 博士

　(2)① 约　　② 酒吧　③ 父亲　④ 就是说　⑤ 改

Ⅲ. Grammar

3. ① 李冬生和陈晓红约好下午一起去图书馆。

　② 山口和金太成说好晚上一起吃饭。

　③ 麦克和圆圆约好7点在学校门口见。

　④ 金太成和王杨说好送她回家。

　⑤ 李冬生和菲雅说好一定帮她。

Unit Nine

II. Words and Expressions

1. 谈恋爱　　打太极拳　　有道理　唱歌　　跳舞

2. (1)① 听　　② 过　　③ 保龄球　　④ 知道　　⑤ 道理

   (2)① 特别　　② 论文　③ 放松　　④ 业余　　⑤ 今晚

III. Grammar

3. ① A　　② A　　③ A　　④ B　⑤ B

Unit Ten

II. Words and Expressions

1. 骑马　　挣钱　　　举行晚会　　考虑问题

2. (1)① 挣　　② 考虑　③ 家人　　④ 健身房　　⑤ 可以

   (2)① 另外　② 一边　　③ 有意思　④ 骑　　　⑤ 举行

III. Grammar

3. ① B　　② C　　③ A　　④ B　　⑤ C